ЗАХАР ПРИЛЕПИН

СЕМЬ
Ж

ЗАХАР ПРИЛЕПИН

ИЗНЕЙ

Издательство АСТ

Москва

УДК 821.161.1-32
ББК 84(2Рос=Рус)6-44
П76

Оформление переплёта и макет — Андрей Бондаренко

Прилепин, Захар.
П76 Семь жизней : рассказы / Захар Прилепин. — Москва : Издательство АСТ : Редакция Елены Шубиной, 2016. — 249, [7] с. — (Захар Прилепин: проза).

ISBN 978-5-17-096750-6

Захар Прилепин — прозаик, публицист, музыкант, обладатель премий «Большая книга», «Национальный бестселлер» и «Ясная Поляна». Автор романов «Обитель», «Санькя», «Патологии», «Чёрная обезьяна», сборников рассказов «Восьмёрка», «Грех» и «Ботинки, полные горячей водкой», сборников публицистики «К нам едет Пересвет», «Летучие бурлаки» и «Не чужая смута».
«"Семь жизней" — как тот сад расходящихся тропок, когда человек встаёт на одну тропку, а мог бы сделать шаг влево или шаг вправо и прийти... куда-то в совсем другую жизнь? Или другую смерть? Или туда же?
Эта книжка — попытка сходить во все стороны, вернуться и пересказать, чем всё закончится». (*Захар Прилепин*)

УДК 821.161.1-32
ББК 84(2Рос=Рус)6-44

ISBN 978-5-17-096750-6

СОДЕРЖАНИЕ

ШЕР АМИНЬ

Отец засобирался.

Он накручивал свой пушистый, колючий, разноцветный — что-то красное, жёлтое, коричневое, оранжевое, — шарф; тогда ещё не умели носить шарф по-французски, изящным узлом; отец носил шарф как русский интеллигент — чтоб было тепло, пышно, чтоб шарф заканчивался под верхней губой, и когда в него надышишь — там мокрая изморозь.

На отце была шуба; когда она висела отдельно — могла залаять; на отце — смирялась.

Я спросил: "Куда ты?" Отец с деланной беззаботностью сказал, что до магазина, за папиросами.

Бабука — моя бабушка, так её звали все — говорит, подтверждая: "В магазин сходит и вернётся".

Хлопнула дверь, потом другая дверь. Ушёл.

Мы сели с бабукой и сидим, она на диване, я на полу. Она в очках, зашивает дедовскую рубаху, щурится на иголку, как бы раздумывая: стоит ли раздражаться на такую маленькую вещь или не стоит; я смотрю на бабуку, пытаясь догадаться о чём-то огромном; мне, наверное, лет пять или меньше.

Ни одной мысли в моей голове не было, они и сейчас редко приходят, поэтому я просто вскочил и побежал. Даже не обулся.

Хотел написать, что осознал происходящее, — но всё это враньё, какое тут осознание, просто появилась картинка: отец стоит на дороге, голосует и курит; и вот уже едет в деревню, где наш семейный дом и где его ждёт жена — моя мать. Он разговаривает с водителем грузовика, они смеются, отец угощает водителя папиросой "Беломор". Открывает окно — в щель рвётся небритый февральский сквозняк.

На улице был холод, много снега — в деревне снега всегда больше, чем в городе. Лес начинался сразу от наших ворот — а трасса лежала за лесом, в полукилометре. Бабука догнала меня, убежавшего, в лесу. Принесла в охапке домой. Я не плакал и не отбивался. Поймали и поймали. Не судьба.

Бабука посадила меня на то же место, где я и сидел, взяла рубаху, на рубахе, скучая без дела, висела нитка с иголкой. Как будто ничего не случилось.

Представления не имею, зачем я побежал. Понятно, что за отцом.

Но я никогда особенно не скучал по родителям — если оставляли у стариков в гостях, жил как ни в чём не бывало.

Куда сорвался?

Наверное, отец должен был вернуться из своего февраля, взять меня на руки.

Потому что с тех пор всё не так.

В следующий слякотный февраль, в последние его дни, шёл по улице, тихий, светлый мальчик (я себя маленького люблю, как будто я тридцатилетней давности — это мой сын), — у нас в деревне жили хулиганы, фамилия Чебряковы, я их не различал, оба были длинные, с мосластыми телами, шеи кадыкастые, лица вытянутые, тупые, подлые, — один из них толкнул меня в плечи, сзади, и я упал всем телом в ледяную грязь.

Грязь в нашей деревне была ужасная, сейчас такую не найдёшь — её варили как кашу, весной она лежала мелко покрошенная, перемешанная со льдом, летом парила, осенью причавкивала. Не высыхала и не смерзалась никогда. Как будто внутри этой грязи тихо бурчал нефтяной родник, точней сказать — гнойник.

Ровно к моему падению грязную лужу как следует раскатал деревенский трактор, чтоб стало сразу и пожиже, и погуще. Следом пробежала лошадь, оставила в этом месиве горячее воробьям и снегирям.

Туда и упал я.

Пришёл домой весь уделанный, как клоун.

Изо рта — грязь; постмодернист, словом.

Мать ничего не сказала — я надеялся, что она пойдёт и убьёт Чебряковых, а она просто умыла меня. Всё сняла, дала чистое.

Следующий раз — ещё через год, опять февраль. Играли за школой в футбол — у нас любили играть в футбол зимой, лето короткое, пока его дождёшься, а мяч лежит вот, ждёт пинка. Я был в трёх драных свитерах и без шапки: это придавало мне, как я сам думал, лихости. Команды были смешанные по возрасту. К противникам присоединился — не помню как зовут — только что вернулся из армии — белёсый чёрт с белёсыми ресницами, смешливый. Я торчал у ворот.

Белёсый играл весело, ловко, вскоре засадил мячом — попало мне в лицо, я сделал — безо всякого преувеличения — два оборота в воздухе, упал; глаз словно бы ввернулся внутрь головы — я потом бережно извлекал наружу, обратно, в белый свет напуганными пальцами веко, ресницы: глаз казался каким-то мясным, слишком объёмным, похожим по ощущению в пальцах на пиявку.

Если б я стоял возле штанги — ударился бы головой об неё и умер.

С коллективными играми у меня не задалось.

Из деревни меня извлекли, как птенца из гнезда, поселили у фабричной трубы: семья решила, что пережидать смерть советской власти лучше стоя на городском асфальте.

В новую школу впервые пришёл зимой, в феврале.

У школы стоял бугай из параллельного класса — выше меня на голову, девятилетнее животное. Снял с меня шапку и бросил далеко. Я полез за его шапкой, отомстить, но он легко оттолкнул меня. Силы были не равны.

Я ходил за ним на переменке, думал: надо изловчиться и ударить, но не хватило духа.

В новой школе была учительница, классный руководитель, сталинистка, рябая, костлявая, едкая на язык.

Началась *perestroika*, она решила, что необходима демократизация, провела опрос, кто как к ней относится в классе, — анонимно.

Мой сосед по парте Чибисов написал, что учительница — сволочь.

Я написал, что претензий не имею.

Следующий, через день, опрос был уже не анонимный, а за подписями.

Собирая наши ответы, рябая ехидно глянула на меня поверх своих огромных очков и, не сдержавшись, сообщила: "Посмотрим, что ты здесь написал, иудушка".

Четыре года после этого она разговаривала со мной совершенно по-скотски, я ничего не понимал, терпел.

Однажды мыл класс после уроков — у рябой уже который год не прекращался мстительный зуд, она опять подняла эту тему: какой я ничтожный, лживый, как же я могу жить такой, почему меня носит земля, не должна бы.

Я уже подрос и нашёл в себе смелость вяло поинтересоваться, в чём дело.

А помнишь, говорит, опрос. В анонимном ты написал, что я сволочь, а за подписью — что нет, что не сволочь; вывод: ты врун, в разведку с тобой нельзя.

Я говорю: покажите опросный лист. У неё был наготове (хранила все эти годы в особой тетрадке, носила с собой, чтоб подогревать мстительность): смотри — взмахнула листками, как факир: сейчас будет номер.

Увидев листы, я взвыл — благо, Чибисов уже года три как учился в другой школе, — это не я! это Чибисов написал!

Она, смешавшись, тут же сказала: "...ты наговоришь мне сейчас!" — и опросники убрала. Извиниться, естественно, не посчитала нужным. Некоторое время смотрела в окно, на подтаивающий снег, — думала, видимо, не было ли ошибки в её многолетнем издевательстве над ребёнком. Сделала твёрдый вывод, что нет. Кто старое помянет, решила по-взрослому, мудро, тому глаз вон.

Это ещё что.

Девушки у меня были, но чаще не было.

Я всё время помню, что девушки нет, есть только головокружение и подростковая тошнота.

Возвращались пьяные откуда-то с вечеринки в честь старого Нового года, вызвались проводить двух дам — я и двое моих собутыльников, их лица уплыли, не вернуть уже ни одной черты.

Я оказался самый разговорчивый, изо всех сил старался веселить компанию: компания время от времени хмыкала.

Одна, вроде симпатичная, дала телефон, я попросил.

Позвонил уже в феврале, что-то ныл о желанной встрече, она поддерживала разговор так, словно у неё стреляла простуда в ухе — через муку, сквозь сжатые зубы. Потом там кто-то зашумел поблизости, послышался мужской голос, она вдруг говорит шёпотом: "Оставь меня в покое, отвянь наконец, чего тебе надо вообще?"

Как будто я сидел на промокшей колоде в воде, в грозовом море, под снегом, падающим ледяной грязью в чёрные волны, хотел выбраться на берег, смотрел на эту девушку снизу вверх, а она оттолкнула ногой мою колоду: плыви, куда хочешь, на берег не лезь, тут и без тебя, знаешь... Плыви, кому говорю!

Прошло двадцать лет, она, наверное, сейчас приготовила борщ мужу — живёт как ни в чём не бывало, всё забыла, — так пусть он немедленно ударит рукой о край тарелки — чтоб тарелка сделала в воздухе круг, и капуста на потолок, на люстру, всё вокруг в кипятке, в детском ужасе, — а он, этот муж, как заорёт: "Сука! Какого чёрта я связался с тобой!"

Кто-то должен за меня отомстить, наконец.

Она бы поняла, что́ тогда, невинный и озябший, испытал я.

...но нет, муж доест, ничего не скажет, будет прятать в себе самое важное.

В армии, уже став черпаком, я один раз напился — не пропалился на построении, ловко миновал все возможные угрозы, добрался до своей койки, улёгся.

У такого же черпака, как я, с моего же отделения, был фотоаппарат, и он решил сделать на память мою фотографию: сослуживец во сне.

Затея быстро превратилась в общественное мероприятие: нашли свечу, вставили мне, слава богу, в руки — а руки скрестили. Свечку зажгли, получилось красиво.

Простынку натянули как надо, нарисовали на лбу крест, устав положили на грудь, потом ещё стопку уставов — предполагалось, что теперь у меня будет много времени на чтение; на ноги натянули сапоги 47-го размера: покойник был благонравен, добросердечен, ногаст.

Сделали пышный венок из веника в голове.

Решили, что одной свечки мало, вставили сразу три в руки: а чем покойник хуже торта — разве поминки не праздник? Тоже наливают, зимние салатики, плясать только нельзя, зато петь, вроде, можно.

Духов не отгоняли, душары тоже веселились.

Решили, что если рядом положить швабру — будет уместно: шваброй я сумею запугать чертей, если соберутся к покойнику в гости.

Тарелку, ложку — тоже на всякий случай подложили ко мне: допустим, черви меня жрут, а я червей, — взаимный обмен. Так можно долго развлекаться — кто кого доест первым.

Под крестом на лбу написали фломастером смешное слово из пяти букв: аминь.

Моё светлое мужское солдатское имя, отвоёванное с такими боями, с такими понтами, с такой смекалкой, со всем тем, что я накопил за девятнадцать лет, — всё пошло к чёрту.

Фотографии распечатали, суки, денег не пожалели, их увидели все.

Каждый мой шаг, когда я шёл до столовой, в наряд, куда угодно, сопровождали незримые улыбки: паси, этот идёт, со свечкой и шваброй, торт из покойницкой, черпак, который аминь.

(В тот февраль я чуть не замёрз в наряде — жить было лень.)

"Шер аминь" прозвал меня мой самый близкий, да что там — единственный товарищ, ботаник, французский учил в школе, я его столько раз выручал, его убили бы без меня — но в этот раз я сам зазвездил ему в зубы, было много крови, зуб потом лежал на столе в столовке, в луже щей, как забытый. Я подумал: может, забрать, как-то ввернуть его, приделать на место: всё можно как-то изменить.

(...потом мне сказали, что свечу мне деды хотели в рот засунуть, для красоты, а ботаник не дал.)

Ничего было уже не исправить.

Свою подругу я приютил пожить в квартирке, которая осталась у моей семьи после многочисленных разменов.

Маме она нравилась — мама ей доверяла.

Мать прожила целую жизнь с моим отцом, ей и в голову не приходило, что женщина, у которой было больше мужчин, чем пальцев на одной руке, может называться как-то иначе, чем "проститутка".

Тем более, кто может изменить её сыну — этому идеальному воплощению ума, такта, красоты, мужества. Ну, то есть, этому иуде, этому шер аминю, с неизменной грязью во рту, который отыгрывается на слабых, врёт, юлит, унижается, перекладывает ответственность, не желает ничего знать, рассматривает себя в зеркале, любуется парадкой — балабол, понтарь, выкобенщик.

Я дембельнулся, подружка не встречала, отдыхала у своей бабушки — разве бабушку оставишь, я понимаю. Приехала через неделю, вся такая улыбчивая, тихоголосая, ведёт себя так, как будто её завернули в целлофан. В щёку поцелуешь — вроде, кожа, вроде, духи, — а всё равно ощущение — целлофан.

Вечером весь целлофан снял, слоями, кое-где налипло, пришлось повозиться. Свет попросила не включать — ищи в темноте, вглядывайся, развивай в себе крота, купи прибор ночного видения, а фантазия тебе на что.

Фантазия у меня работала полтора года, я весь этот срок гудел как трансформатор, я продумал до деталей, что́ именно случится, когда дембельнусь, — но жизнь предложила свой вариант. Нет, не так себе представляли мы ход событий в первую ночь по возвращении с гражданской… верней, на гражданку.

Гражданка подвела. Она разучилась делать самые элементарные вещи. Тут помоги ей, здесь не так жёстко, там не щиплись, а что ты как целуешься?

Как?

Да ладно, не обращай внимания. Просто я устала.

Устала? За полтора года устала? Или за полтора года не отдохнула? Ты к своей бабке поехала — даже раковину не отмыла на кухне. В ванной — ржавь, как будто ты там железного человека, или кого там, железного коня надраивала.

А? Комбайн, что ли, мыла?

Прекрати орать. Ты что, меня на правах посудомойки оставил жить? Знала бы я.

(...сделала движение одной ногой, чтобы уйти; остановил встречным движением всего тела, типа: подожди, не всё ещё сказано; хотя смысл моего жеста был, конечно, чуть шире: куда собралась, ау, а чё я тут делать буду с собой?)

До утра разговаривали. Она в состоянии тихой замученности, я — крайнего и неразрешаемого возбуждения. Да ты знаешь, через что я прошёл? Ты знаешь, как нас били звери? Как я чуть не замёрз в наряде? Как нас чуть не отправили в Чучмекистан — я первый записался добровольцем, мог бы вернуться в цинке, тогда ты печалилась бы: ах, что же я так мало его радовала? А какой у нас был ротный? Он был бесподобный кретин! А комбат? Как три, ёп, кретина! Я даже генерала видел один раз! А знаешь, наконец, что мне один раз чуть свечу в рот не вставили, показать как?

К утру всё горько, кисло, скудно, одноразово, без тепла, без вздоха разрешилось, лучше б не разрешалось.

На другой день звонок: трубку беру — алло? — на том конце провода чуть смешались, потом, смущённо, с деланной беззаботностью: Тину можно?

(Она спит; хотя по затылку увидел: проснулась и слушает спинным мозгом разговор.)

В трубке сразу опознанный мужской голос: мой одноклассник, Тина с ним путалась до меня, потом ушла ко мне, но о нём долго помнила — он был выше меня, красивей, богаче, — к ней, правда, так и не притронулся, пока они там дружили.

Зато пока я маршировал, гонял устав, как символ веры, и отдавал честь, — притронулся. Видимо, она даже не рассказала ему, что живёт в моей квартире: а зачем? Чтоб мне сжечь эту квартиру по возвращении?

Из этой квартиры, выгнав подругу, я поехал в новый мир, где звучат стихи и слагается новая драма, где юноши в странной одежде (голь на выдумки хитра) прикуривают огромными, в виде, например, черепахи, зажигалками свои дешёвые сигареты ("...это артистично, так, бля, положено у писателей, специально купил на вокзале, брат, чтоб показать, что мы не лыком шиты..."), где девицы одеты гораздо лучше, чем юноши (каждая переносит в джинсах румяное нагое тёплое солнце, которое никогда не взойдёт перед простыми смертными), и не обращают на юношей внимания, только иронично косятся на железных черепах, с пятой попытки изрыгающих пахучий огонь, зато внимательно, прямым взглядом смотрят на мэтров, ведь мэтры цедят весомые слова, мэтры в мятых дорогих (не настолько дорогих, как хотелось бы) пиджаках видели... Бродского? — да что там Бродского — они Бродского в упор не видели, — а что-нибудь ещё более пронзительное, взирающее из клокочущих глубин вечности живыми глазами, проросшими сквозь мрамор... — ну, допустим, видели себя, взглянув перед выходом на своё отражение в зеркале гостиничного номера.

Мы — я и несколько моих плюс-минус ровесников — быстро срослись в банду; самые взрослые среди молодых, самые молодые среди взрослых — родившиеся, выросшие и отслужившие кто где смог в прошлом веке, пришедшие в новое тысячелетие не только с зажигалкой в виде черепахи, но и с багажом, который можно было выгодно представить на ярмарке тщеславия, удачи и надежды.

Я стал называться: сочинитель, литератор.

У меня был брат не брат, но хороший товарищ, большой телом, с маленькими глазами, который жил нараспашку и требовал, чтоб другие, рядом, тоже распахивались: чтоб всё было — от души, от всего сердца, голое, без стыда, наружу, навыпуск… но когда другие, помявшись, распахивались, мой товарищ немедленно начинал страдать, что у других выросло что-то важное несколько или даже заметно больше, чем у него.

Со временем он вовсе перестал смотреть вперёд и вверх, а только косился и косился на окружавших его, пока совсем не окосел. Сбежал на свою приморскую рыбалку, где можно было распахиваться в одиночку и не бояться, что кто-то усомнится в его стати и страсти, в его первозданной величине.

Извлекал свою величину, сравнивал её с пойманной рыбкой, то с пескариком, то с карасиком, — хохотал от радости, плакал от влюблённости в этот мир, в этот огромный и добрый мир.

Но до того, как сбежать, мой товарищ поймал меня за воротник, прямо на вручении мне премии (корзина с цветами, внизу уложенная пачками красиво нарезанной зелёной бумаги, расписанной цифрами), — гаркнул так, чтоб все оглянулись — и девицы, и мэтры, и юноши с черепаховыми зажигалками, — и раскрыл всем глаза:

— Вы думаете это — кто? Он не тот, за кого себя выдаёт! Он лжец, подлец, хитрый скворец, человек с грязным ртом, у него на лбу слово из пяти букв, имя у него ворованное, душа в репейниках! — и, оглянувшись на меня, ткнул мне в грудь пальцем: — Запахнись, предатель, ты обманул нас!

Все смотрели на меня в полной тишине. Черепаха в чьих-то руках едко шипела, не в силах больше породить огонь.

Я (корзину не бросил) выбежал на улицу; не плакал, не смеялся — просто дышал там с пустой и выгоревшей от стыда головой: я так и не научился думать. В висках стучало: как же теперь жить, разве можно после такого.

На улице опять подтаивал последний месяц зимы, обещающий только обман и болезненную, простудную маету.

Выкинул цветы из корзины на снег, зелёную бумагу рассовал по карманам, а то ещё отнимут.

Я так и не догнал отца.

Всё с самого начала шло наперекосяк.

Всё было бы иначе, если б он не ушёл.

Всё было бы иначе, если б он не ушёл тогда.

Всё было бы иначе, если б он не ушёл тогда от меня.

Поверили? Поверили, да?

Думаете: вот, раскрылся, наконец, а мы ведь догадывались, как у него тоскливо и скользко внутри.

Ничего вы не догадывались, помалкивайте.

Теперь расскажу иначе.

В моей деревне, за околицей, в часе ходьбы лежат холмы — высокие для средней полосы, и если прыгнуть вниз с обрыва — весь поломаешься.

В очередной холод, девятилетний пацан, я ушёл туда — с чего мне захотелось зимой забраться на холм, никто бы не объяснил. Снега было где по колено, где по грудь, надо было сразу возвращаться, с первых шагов к холмам, но я пополз — кричал, пел по пути, один раз расплакался: вперёд было далеко, назад уже поздно.

Туда и летом не всякий решался лезть.

На вершину взобрался, когда солнце было на исходе: полные карманы снега, полные валенки снега, полные варежки снега, полная запазуха, полные уши, полные глаза… подумал и набил полный рот снегом: сожру тебя, февраль.

Снял шапку, по волосам тёк горячий пот, было так хорошо, так сладостно, что я потерял сознание.

На минуту, на час: у кого спросить, не знаю.

Очнулся — и поскорее покатился вниз, унося ноги, голову, душу.

Стало темно-темно, деревня в темноте оказалась ужасно далёкой, и еле живые плавали её огоньки в февральском чернильном бульоне.

Но внутри меня уже поселились серебро и радость.

Вернулся весь ледяной, и только в затылке было горячо, как будто туда припечатали зимним солнцем, как нагретым медяком: так меня и разбудили.

С какого-то возраста, допустим, с пятнадцати лет, в любой компании я тихо решал для себя: “Мужчина здесь я”; и если нужно было принять решение — принимал его я. Чаще всего по той простой причине, что больше никто ни на что не решался.

Я не предпринимал для жизни никаких усилий, отныне она сама стелилась под ноги.

Мир разделился на две половины — одни дружат со мной, другие слабее меня. Есть ещё какие-то третьи, но нам нет дела друг до друга.

От меня ушли только те, кого я не любил, а кого я люблю — остались со мной.

Того, из школы, который снял и выбросил мою заячью шапку, я встретил на улице пятнадцать лет спустя, он стал ещё выше, на три головы больше меня — пришлось подпрыгнуть. Он стоял ошарашенный, глаз его начал затекать мгновенно, как будто на него пролили гуашь.

— Ты чё, бля? — спросил он.

Мы больше на такие вопросы не отвечаем.

Подруга, та самая, что в целлофане, спустя семнадцать лет написала письмо: я не знала, кто ты такой.

Надо было знать, а зачем ты тогда женщина; только мужчины имеют право не знать.

Девятнадцать лет спустя заехал в свою деревню — я возвращался туда каждый год, словно что-то там потерял — калошу в снегу? серебряную монетку? первый нательный крестик? — приехал, а деревню опять накрыло снегом, иду и думаю: если смести снег — там следы моих босых детских ног. Если пойти по этим следам — приду ровно к себе, войду в свою жизнь, всю её проживу, опять подумаю на том же самом месте: если смести снег — там следы…

Смотрю — а лужа так и стоит на прежнем месте, русская почва неистощима, хотя ни лошадей, ни трактора в деревне нет, — но всё равно в луже что-то чернеет, булькает, всхлипывает, чавкает, бурчит.

Подошёл — Чебряковы лежат, оба брата, один увяз, второй его тянет, оба похожи на старых собак, голосов не слышно, стынет слюна на сизых лицах. Лица по-прежнему одинаковые. Глаза у них кто-то высосал, что-то слезится на самом дне.

Начал вытаскивать, рванул за руку кого-то из них — она оторвалась: чёрт, что делать, я не хотел — понятно, что пришла пора расплаты, но чтоб до такой степени… Потом понял: вырвал с корнем рукав телогрейки.

На снегу виднелась чья-то пьяная голая рука, пальцы елозили в разжиженном снегу.

Больше никому не дали сделать зла.

Я мог бы ухватить такие солнца, румяные и горячие, в самые руки, — но хватало знания о возможности, одним этим знанием был перекормлен, избалован, пресыщен.

Я доехал-таки до грозовой границы и стрелял в людей, но кто-то собирал в ладонь все выпущенные мной пули и выбрасывал, как шелуху. Я точно никого не убил, я знаю это наверняка — но если попрошу, дадут и убить. Дадут всё что угодно.

Отец ушёл, я не догнал его.

А если б он вернулся — тогда дали бы всё, что дали с лихвой теперь?

Я бы, конечно, сбагрил всё это нынешнее добро, чтоб догнать отца, чтоб только его догнать — но со мной никто не торгуется, никто ничего не предлагает: тут обмена нет, тут только раскладывают перед глазами всякую чудесную всячину — и я беру.

Выбора нет. Можно, конечно, не брать — но там на всех хватает, я видел. Там никому не желают дурного, там сидит щедрый хозяин.

...и тогда, помните, когда я рассовал по карманам эту дурную зелёную бумагу — я посмотрел вверх, и меня лизнули в лицо — всем этим чернильным февральским жаром, как собачьим языком, словно говоря: ну, ты что? кто тебя может обидеть, дуралей?

Вернулся в огромный зал, все мне улыбаются, здравствуй, как там тебя, брат-наш-пушкин, брат-наш-хлестаков, здравствуй, мы хотели бы съесть тебя, но вместо этого будем тебя прижимать к нашему огромному сердцу.

Нашёл своего, в общем, товарища, который любил распахиваться, взял его за пуговицу, увёл за угол, сказал в лицо, с глазу на глаз — он знает, он помнит, он не сумеет забыть, простить тоже не сумеет, — сказал: я сильнее тебя, как человек, как мужчина, как выдумщик, как беспредельщик, как всё что угодно. Понял меня? Он кивнул: понял. Сгинь! — велел. Он сгинул.

Да, любая взрослая победа кажется смешной и мелкой на фоне детского поражения, но что поделаешь.

Зато теперь я сам могу написать любое слово у себя на лбу, и моё право на это переедет поперёк любую ухмылку — береги зубы, глупый человек, о чём ты смеёшься, глупый человек, ты смеёшься о себе. Аминь.

Разноцветный шарф уже полон моим дыханием, снег тает на лету, враль-февраль, ты проиграл, или, может быть, выиграл, ты научил меня всему, но я не умею сделать ни одного вывода из произошедшего.

Стою теперь на пороге, мои чада вопросительно озирают мою зимнюю одежду, глаза их горячие, глаза их смотрят.

Спрашивают, куда, надолго ли.

Решаю, что делать: уйти, не оглянуться? Или вернуться — взять на руки? Как угадать, что им поможет?

ПОПУТЧИКИ

Ближе к вечеру Верховойский придумал идти в баню. Захотелось настолько, что не было сил удержать себя. Как будто кто-то позвал и терпеливо дожидался там.

В компании Верховойского были таджикская певица и её, вроде уже бывший, любовник — бритый наголо сын протестантского пастора, сноб и богохульник; армянский массажист и его подруга — то ли драматург, то ли стриптизёрша, бородатый писатель-почвенник… и, собственно, он, Верховойский. У него и у почвенника не было при себе женской пары, поэтому Верховойский иногда в шутку хватал почвенника за бороду, а тот бил его с размаху мощной ладонью по голове. Все хохотали.

— Надо в баню! — призвал Верховойский. — Там пекло!

— У тебя же поезд, — рассудительно напомнил писатель-почвенник Верховойскому.

— "Застоялся мой поезд… в депо!" — спел сын пастора, задвигая всем своим длинным костистым телом таджикскую певицу в уголок, но та, как ящерица, ускользала. Вставала посреди комнаты, выжидая, чем закончится банный вопрос.

Таджикская певица была в лёгком красном платье. Когда она оказывалась на свету, спиной к окнам, всё в её ногах было видно. Верховойский попытался найти себе вроде бы случайную позицию напротив неё, чтоб рассмотреть получше, как просвечивает, — и сам себе усмехнулся: щас же в баню пойдем, смотри не хочу.

Армянский массажист поглаживал подругу, подруга поглаживала массажиста.

— Поезд ночью — до поезда восемь часов, — прозвучал ответ Верховойского писателю-почвеннику. — Мы успеем пролить цистерну горячей воды на себя за это время.

— Я тоже хочу в баню, — сказала таджикская певица.

Верховойский был почти трезв и очень деятелен, компания выпила три бутылки водки, это ни о чём.

Наступила его любимая степень алкогольного опьянения — воздушная, причём воздух бил откуда-то снизу, густой, горячей, обволакивающей волной. Эта волна наполняла лёгкие, заставляла улыбаться и обожать всё вокруг, быть стремительным, всеми любимым, дерзить женщинам и знать, что лучшие мужчины — твои братья.

Он набрал номер столичной справочной, в справочной узнал про ближайшую финскую парилку, в финской парилке заказал номер на шесть человек, тут же вызвал такси, долил всем водки; сын пастора пил нехотя — так как любил оставаться трезвым, чтоб ровно нести достоинство, но всё-таки тоже выпил. Пока перекуривали, позвонили из такси, выходите, серая “лада”, 312.

То ли драматург, то ли стриптизёрша накрасила красивые губы. Таджикская певица, присев на стул в прихожей — тонкая ровная спина, вельможные повадки, — протянула ножку, и сын пастора помог ей надеть высокие красивые сапоги.

— А варежки и шапку на завязочках ты тоже ей одеваешь? — спросил Верховойский сына пастора и тут же добавил: — А давай, друг, ты будешь её одевать, а я раздевать? Мы же друзья, у нас всё поровну, я во всём готов тебе помочь. Нет? Ну, давай хотя бы я второй сапог помогу? Опять нет? Хорошо, а мне ты можешь ботинки надеть? Ты мне ботинки — я тебе шапку? А она пусть сама наряжается, не маленькая…

Таджикская певица внимательно слушала Верховойского, но из его предложений ни одно не было принято ни ею, ни сыном пастора.

Посему они, два мужика, начали наряжать друг друга с писателем-почвенником, путаясь в вещах, застёгиваясь вперемешку всеми четырьмя руками и наматывая шарфы на лицо товарищу наподобие бинтов.

В гоготе вышли в подъезд.

Толкаясь, вышли из подъезда.

На улице, грязная, как из лужи, слонялась туда-сюда весенняя погода, чесала спину о дома, садилась в сугробы, оставляла чумазые следы в снегу, отхаркивалась, каркала, хлопала крыльями и форточками.

— Шесть много, — сказал водитель такси, посчитав компанию; он был горный, загорелый, щетинистый, весенний. Вышел из машины, дышал, щетинился, загорал.

— Много, да, — согласился Верховойский с водителем. — Ты лишний. Оставайся тут, машину заберёшь у сауны, туда прямой троллейбус ходит.

Водитель не соглашался на такой вариант, пугливо посмеиваясь.

— Хорошо, тогда едем все вместе, — предложил Верховойский. — А в сауну зайдёшь с нами, и вот эти две девушки, по очереди, помоют тебя. Нет? Ты не измазался еще? Тогда они помоют себя, а ты на них посмотришь? А? Они ужасно грязные, им надо помыться. Ты ведь любишь грязных женщин?

Водитель стал улыбаться добрее, тем более что подыграла стриптизёрша: в несколько танцевальных шагов подошла к нему почти в упор, повернулась спиной и вдруг сложилась пополам — всего на одну секунду — как будто её ударили по затылку, сломали ровно надвое. Чёлкой едва не коснулась грязного придорожного снега — и вот уже снова распрямилась во весь рост и, так и не обернувшись лицом к водителю, будто ничего и не было, чуть переступала под свою внутреннюю музыку. Юбка её раскачивалась, как цветок-колокольчик, в ушах водителя, кажется, стоял лёгкий звон.

— Ну, договорились? — сказал Верховойский водителю; все уже забирались в машину. — Хотя, если тебе девушки не интересны, — добавил он уже в салоне, — я могу предложить тебе помыть вот этого бородатого парня и расчесать ему бороду.

Водителю про бороду не нравилось, он что-то говорил про полицию, заводя свою, 312, "ладу".

— Какая полиция? — отвечал Верховойский. — Тут триста метров, — хотя был в этом районе впервые. — Я доплачу тебе по сто рублей за каждую девушку. За грудь каждой девушки по сто рублей. Сам пойдёшь в сауну, пересчитаешь их груди, получишь по сто рублей за каждую грудь. Знаешь, сколько у неё грудей? — тут он покрепче усадил стриптизёршу к себе на колени и довольно бесцеремонно взял её рукой за скулы, показывая водителю обладательницу нескольких бюстгальтеров. — Вот у неё знаешь сколько? Ты себе даже такого не представляешь. Я тебе просто скажу, а ты сам считай: она бы могла одновременно вскормить трёх джигитов вместе с их лошадьми.

Другу стриптизёрши пришлось сажать на колени писателя-почвенника, таджикская певица ехала на переднем сиденье одна, её пастор вздыхал, задавленный, где-то на облучке, в общем, всё смешалось.

Верховойский ещё умудрился заставить водителя остановиться возле киоска, купил всё, что увидел, расплатился не глядя; продукты в пакетах свалил таджикской певице на колени, подарил водителю чупа-чупс за вынужденную остановку.

Правда, в сауну водителя не взяли, он и не просился, хотя, быть может, надеялся до последнего.

Верховойский первым разделся и умчался в парилку.

О, жар. О, жара. О, жаровня.

Долго никого не было. Он поддал так щедро, что в голове стал постепенно раздуваться горячий воздушный пузырь. Улёгся на лавку, закрыл глаза, кажется, даже задремал.

Кто-то зашел и вышел. Или не вышел. Никак нельзя было понять, вышел или не вышел.

Верховойский открыл глаза: пусто.

Спустился и пошёл в комнату отдыха, к пакетам со снедью. Компания до сих пор переодевалась — Верховойский давно заметил, что люди ужасно медленные.

У таджикской певицы откуда-то оказался с собой купальник, она явилась, когда Верховойский расставлял всякие салаты и бутылки на столе. Всё-таки чуть тоньше, чем надо, подумал он, глядя ей на ноги, но юная, такая юная, у таких изящных, юных, тонких женщин особенно удивителен живот — совершенно нереальный.

— Как же работают твои внутренние органы? — спросил Верховойский, бережно прихватив её за тонкий бок одной рукой (второй прикуривал) — расстояние между пальцами, большим и указательным, было такое, словно бы он держал бутылку. — Как работают твои внутренние органы? Это же удивительно! Внутри тебя не может поместиться ни один серьёзный орган!

— Может поместиться один орган. И даже два могут, — вдруг сказала таджикская певица очень спокойно, — подобным тоном она бы ответила на вопрос заинтересованного и при деньгах человека о диапазоне её голоса.

Сын пастора образовался у неё за спиною, но не подал вида, хотя всё слышал, и все поняли, что он всё слышал, и она говорила настолько внятно, чтоб все осознали, что все здесь присутствующие — а их было трое — всё слышали и отдают себе в этом отчет.

Тут ввалился армянский массажист — приземистый, крепкий, с очень развитыми руками, в красивых трусах, следом его подруга, в белой простыне, писатель-почвенник в трусах попроще, вся грудь и весомый живот поросли курчавым волосом.

Верховойский обрадовался в меру голым друзьям, но всё как-то не мог освоиться с мыслью про органы, впечатление было такое, словно ему прислонили чем-то холодным к голове, ко лбу, надо было срочно отогреть это место.

Он налил себе водки в пластиковый стаканчик, полный — и загасил его в одну глотку — опьянение было в той стадии, когда удивляешься: надо же, как я много пью и совсем не пьянею, пью уже который день, и чувствую себя безупречно, что-то, видимо, изменилось в организме, теперь у меня, наверное, никогда не будет похмелья, его и раньше, вообще-то говоря, не было, а теперь просто настанет новая жизнь — буду хлестать целыми неделями и чувствовать себя всё лучше… вот только орган… надо что-то решить с органами…

Он скосился на таджикскую певицу. Нет, не может быть. Куда, собственно говоря, как? И как можно? Много вопросов.

Таджикская певица никогда так себя прежде не вела, она к тому же была замужем — и вроде бы жила с мужем в мире и таджикском согласии, он тоже более-менее занимался музыкой, имел связи на радио, её песни крутили на разных мелких волнах, она вот-вот должна была стать почти звездой, пока, впрочем, хватало только на концерты в клубах для своих и случайных.

— А чего один-то? — спросил писатель-почвенник, поочерёдно нажимая на три “о” в произнесённой фразе и присматриваясь к столу с единственным мокрым пластиковым стаканчиком.

Верховойский тогда налил всем, и себе ещё один раз, снова полную, и — во как я умею! — опрокинул в себя вторую подряд пластиковую норму, а через минуту уже сидел в парилке.

Зашла, как ни в чём не бывало, таджикская певица. Он с удивлением рассматривал её как изящную ёмкость для своих и посторонних органов.

Низко склоняясь голой головою — высокий, — появился сын пастора.

Таджикская певица подвинулась.

Для пьянеющего Верховойского наступало то время, когда любое женское движенье становится преисполненным трепетного, возбуждающего смысла. Вот она подвинулась — на самом деле она же не просто подвинулась, она, чуть перенеся вес тела на ладони, приподняла и снова расположила на горячей лавке — себя, женщину, полную разнообразных, необычайных, влажных, очень близких женских чудес.

Сын пастора вдохнул, выдохнул и, чуть посомневавшись, ушел: ему было слишком горячо.

Таджикская певица сидела очень серьёзная и молчаливая.

Верховойский начал считать до ста — потому что было жарко, а уходить раньше таджикской певицы он не хотел. Она вышла в районе семидесяти. Прыгая через три цифры, доскакал до сотни и поспешил следом.

Рюмка, сигарета, рюмка, сигарета, рюмка, рюмка, рюмка, две сигареты подряд, начал танцевать со стриптизёршей — просто для того, чтоб отвлечься от таджикской певицы, красивое лицо которой всё время выплывало из дымных облаков — сама она не курила, единственная в компании.

Писатель-почвенник и армянский массажист начали бороться на руках, кто-то из них победил, все ужасно кричали.

У Верховойского тоже всё кричало в голове, он носил этот шум с собой, часто подливал в этот шум водки, становилось ещё шумнее, он пошёл в парилку, в парилке тоже почему-то неведомо кто орал разными голосами. Он набрал в таз воды, окатил верхнюю лавку, улёгся на живот. Пришла таджикская певица, он перевернулся на спину. Она села у него в ногах, нарочно — он был уверен, что нарочно, — касаясь бедром его ноги. Следом явился сын пастора, ведомый своими нехорошими предчувствиями.

— Что-то вы невесёлые, — сказала таджикская певица, хотя оба были вполне себе весёлые, веселей некуда, но ей надо было сказать про невесёлых, чтоб произнести следующую фразу, и она её произнесла: — Давайте я вас порадую.

Верховойский, улыбаясь, сел, чтоб освободить место сыну пастора, а верней, чтоб хоть на время освободиться от ощущения женского бедра: этим бедром надо было как-то заняться, но как?

Сын пастора примостился на лавку, таджикской певице ничего не ответил, хотя ответить должен был он.

Верховойский поперебирал в голове всякие возможные варианты своего ответа: “а давай”, “а что скажет сын пастора?”, “а что за радости у нас предусмотрены?” — всё оказалось какой-то дурью — в итоге помолчали минуту, тема провисла, ни к чему не пришли.

Чувствуя, что пьянеет, Верховойский решил прибегнуть к прежним, проверенным способам отрезвления: прибавил температуры в парилке на максимум, наподдавал так, что заявившийся армянский массажист тут же вышел, а стриптизёрша даже не стала заходить, полюбовавшись клубами пара сквозь стеклянную дверь.

Таджикская певица терпела, розовея. Спустя минуту они вместе побежали к душевой, встали в соседние кабинки, он врубил себе холодную, но оказалось, что вода слишком холодна, в связи с этим он, натянув шланг, направил леденящую струю душа на соседку — она даже не вскрикнула, но атаковала в ответ. Тут уместным было бы бросить свой шланг к чёрту и сделать шаг к ней под душ, наказать её там как-то, схватить за что-то, всё к этому шло.

Но, вообще говоря, это было не в традициях Верховойского, он всегда стремился избежать такого поворота событий — избежал и в этот раз. Просто прибавил тёплой и ополаскивался минут семь, в основном поливая замечательно пьяную, бесчувственную и мягкую, как винная пробка, голову. Таджикская певица тоже пошумела душем и ушла.

Стриптизёрша танцевала, встав на лавку, писатель-почвенник спал сладко, как Илья Муромец, сын пастора обнимал таджикскую певицу за плечо, но Верховойскому вдруг показалось, что ей явственно, агрессивно мало одной руки, лучше две или даже четыре — и пусть все руки скользят по ней.

Нет, это нельзя вынести. Нет, этого нельзя допустить.

Надо что-то предпринять. Надо разлить алкогольной жидкости. И выпить её.

— Беса тоже можно подцепить. Как венерическую болезнь, — улыбаясь, цедил сын пастора, разговаривая непонятно с кем.

Верховойский ещё раз внимательно осмотрелся — нет, действительно, на сына пастора никто не обращал внимания.

И он не стал обращать — ушёл, спрятался в парилке.

Поддал, посидел, поддал, улёгся. Даже вроде бы заснул. Снова поддал.

— Хорошо? — спросил его маленький, поросший белым волосом человек. Белый волос вился по его скользкому телу, как водоросли по морскому камню, — было понятно, что если прикоснуться к человеку рукой, то на пальцах останется нехорошее, брезгливое ощущение даже не рыбы, а какого-то пахучего болотного гада. Волосами были покрыты его крупные, мясные уши, вдавленные виски, короткая шея, некрупное тело с большой грудной клеткой — настолько большой, будто бы у него горб вырос впереди. И только кисти рук были безволосые, розовые, будто бы варёные, с пальцами, лишёнными ногтей.

Он приветливо улыбался — лицо старенькое, а выражение задорное; сидел недвижимо, но казалось, что внутри него всё шевелится и слегка бурлит, словно это бурдюк с варёными, распавшимися от жара на разноцветные вялые волокна овощами.

Руки он держал перед собой, и пальцы, лишённые ногтей, всё время чуть шевелились, словно против воли, словно бы независимо, как бы отдельные от него, будто бы живые.

* * *

Когда Верховойский, поспешно натянув на мокрое тело носки, рубашку, трусы, джинсы, уходил, то ли драматург, то ли стриптизёрша танцевала с голой грудью, проснувшийся писатель-почвенник крестился, неотрывно глядя на неё, армянский массажист дирижировал танцем своей подруги при помощи расплёскивающейся бутылки водки, таджикская певица лежала на животе, в комнате отдыха, одна, постелив простынку на кожаный диван. Сына пастора не было видно.

Верховойский не попрощался.

На вокзал он приехал раньше времени — за три часа.

У него было странное, ухмыляющееся настроение — как будто он впервые что-то украл, но никто этого не заметил. Его слегка пошатывало, но в меру. “Не было никакого старичка”, — твёрдо решил он, быстро успокоившись. Улёгся на лавку, уверенный, что не заснёт, а только немного подремлет, и в ту же секунду исчез из сознания.

Его растолкал полицай, сообщив, что на лавках лежать не стоит.

Верховойский тут же встал, демонстрируя своё замечательное физическое состояние и восхитительную степень трезвости, но полицай, не оценив всего этого рвенья, ретировался.

Часы на стене явственно показывали, что поезд Верховойского ушёл. Он всё равно не поверил — сбегал, отчаянно ругаясь матом то про себя, то полушёпотом, то в голос, — на перрон. Ну да, так тебя и заждался твой проводник, удерживая состав за поручень.

— Полицай! Сука! — ругался Верховойский. — Где тебя носило! Ты не мог меня разбудить раньше! Тупой скот! Наберут тупых скотов! Видит ведь — спит человек! Неужели нельзя догадаться, что его надо разбудить? Чем они вообще занимаются!

Побежал к кассам, там, неизвестно откуда, в два часа ночи образовалась очередь. Люди стояли странные, смурные, медленные, кто в капюшоне, кто в платке, лиц не разглядеть. Что-то подолгу шептали кассиру в окошечке — будто рассказывали историю своей медленной и смурной жизни. Кассир, не поднимая глаз, долбила по клавишам, как наборщица.

Верховойский едва сдерживался, чтоб не начать бить и топтать всех стоявших впереди.

Через час еле добрёл до кассира, но та ровно перед Верховойским захлопнула свои ставни, воскликнув: “Я же говорила: не занимать!”

Он встал к соседнему окошку, почему-то туда никто не занимал — оказалось, что это касса с доплатой за срочность. Срочно купил билет на поезд, который уходил через три часа. Других поездов не было. Срочность стоила тысячу рублей.

Расплатившись, Верховойский обнаружил свободное окно для простых людей, где очереди не было вовсе и кассир скучала, распределяя мелочь по отделениям кассы.

Никогда еще Верховойский так не презирал себя.

Он начал по уже неистребимой привычке нынешнего городского человека искать мобильный телефон — ну вдруг какие-то важные эсэмэски пришли, а он не заметил, или звонил кто-то близкий и надёжный, а он не слышал, к тому же в телефоне собственное, всегда самое точное время — не то что на этих вокзальных часах — кто знает эти часы! — а в своём мобильном часы и минуты карманные, тёплые, родные.

Прощупывая даже не седьмой, а только второй карман, Верховойский наверняка понял, что телефон потерян, оставлен, забыт, отчуждён навсегда, — так же, наверное, очнувшиеся после операции, прислушиваясь к себе, вдруг понимают, что на этом пустующем месте когда-то была их нога, почка, другой изъятый в кровавый и холодный таз орган.

Мысль Верховойского начала метаться — и неотъемлемая глупость этой мысли висела у неё как консервная банка на кошачьем хвосте: избежать этой глупости было невозможно, она ужасно громыхала. “В бане оставил? — думал Верховойский. — Украли на вокзале? Выронил в такси?”

Как будто всё это имело значение.

Думать о потере было бессмысленно — украли и украли, выпал и выпал, а если он всё-таки оставил телефон в бане, его вернут пьяные товарищи — хотя и они могут забыть, не заметить, — но, в любом случае, искать ночью товарищей не станешь, да и где их искать, да и как их искать — Верховойский, подобно подавляющему большинству своих современников, не помнил ни одного дружеского телефона, — а были времена, когда люди носили в голове целые телефонные книжки, ну или как минимум дюжину номеров.

Ещё с полчаса, гоняя пешим ходом по платформе туда и обратно, Верховойский размышлял о своём телефоне и ненавидел себя, размышлял и ненавидел себя, и всё ненавидел и ненавидел себя, и ещё немного размышлял по прежнему кругу.

Последний раз он звонил, когда вызывал такси, но это был стационарный телефон на квартире, а до этого — до этого всё было так давно, ужасно давно, — за это время мобильный мог вырасти, жениться, сбежать из дома, попасть в тюрьму, отрастить усы, сменить адрес, цвет, вес, обои, плитку в прихожей, цветок на подоконнике.

— Какая ты тупая мразь, Верховойский, — говорил себе Верховойский. — Зачем ты, мразь, напился? Зачем? Ты хлестаешь, мразь, целыми днями! Зачем ты, мразь, непрестанно пьёшь? — но одновременно Верховойский уже озирался в поисках ночного, с разливом, ларька — потому что голова пылала изнутри — как будто он случайно унёс в мозгу всю баню с её пеклом — и после его ухода компания сидела в недоумении, подмерзая в холодной луже и на вдруг образовавшихся сквозняках.

Виски взбухали, и затылок переживал невыносимые перегрузки. В голову что-то ломилось и потом ломилось прочь из головы.

Организм вопил о пролонгации медленного алкогольного суицида. Организм требовал перезагрузки, дозаправки, прививки.

На сотом полувздохе "ну ты и мразота, алкашня, гнида проспирто..." Верховойский решительно направился к ларьку.

— Пива, — попросил он хрипло, как если бы первый раз в жизни, сбежав от жены, вызывал по телефону проститутку в гостиничный номер. — Тёмного и светлого. Две.

"С двумя буду. С тёмной и светлой", — попытался себя развеселить Верховойский, хотя желание, например, садануть собственной головой о стекло ларька вовсе не утихло, а увеличивалось со скоростью летящего к земле парашютиста, не раскрывшего парашют.

Спасти могло только пиво — Верховойский открыл его мгновенно и тут же, у окошечка, начал с тёмного, с тёмненькой — тёмненькая пришла, повозилась, всосалась, проникласъ, и, да, да, да, ещё раз, ещё вот так, ещё глубже, ещё глоток — залечила, избавила, вернула к жизни.

Что до светлого... светлая уже разглаживала, ласково чесала грудь, дышала куда-то в шею, не делала резких движений, после неё — после светлого пива — ужасно захотелось курить, — если не покурить — испарится всё счастье, всё удовольствие, вся радость — невыносимая, разноцветная полнота чёрно-белого бытия.

Верховойский закурил и поплыл: сначала внутри головы, а потом вослед за головой — глядя в грязный асфальт, то бормоча, то напевая вполголоса. Ну опоздал на поезд. Ну что? Утром поеду. Всякое бывает. Что мы, не люди, что ли. Право имеем. Не тварь дрожащая.

За первой сигаретой Верховойский сразу прикурил вторую, чтоб пар не кончался, чтоб жар не стихал, и шёл на пару́ вперёд, ведомый выдуваемым дымом.

Дед нарисовался из ночного воздуха, испарений, фонарных бликов — всё такой же, увитый своим белым волосом, только одетый, — завидев Верховойского, сразу куда-то заспешил, в другую сторону.

Верховойский махнул ему рукой — в руке бутылка недопитого светлого пива — никакой реакции; крикнул — та же ерунда. Бежать с бутылкой было неудобно — пришлось допить, обливаясь.

— Дед! — выдохнул в полную грудь. — Ты чего за мной ходишь? — и сам рванул за дедом.

Тот, казалось, по-заячьи вскрикивал от ужаса и всё никак не мог набрать скорость, семенил на своих гадких ножках.

Верховойский хохотнул, нагоняя:

— Ты, бля, бес, врёшь, не уйдёшь!

Был готов зацепить деда за плечо, но тут его самого развернуло в противоположную сторону, ударило по ногам, ошарашило, сбило…

Полицай держал Верховойского за шиворот. Тот силился вывернуть голову, чтоб посмотреть на деда, и не получалось.

— Он бежит за мной! Бежит! — вскрикивал дедушка. — Бежит и бежит!

— Ты сам за мной ходишь! — громко ответил снизу Верховойский, хотел ещё добавить, что дед явился к нему в баню, прямо в парилку, но даже в своём пропитом состоянии догадался, что последняя претензия прозвучит сомнительно, тем более что, перехватив его покрепче, полицай сказал: “Заткнись пока!”

Его напарник отвёл деда в сторону, о чём-то с ним переговорил, а дальше Верховойский ничего не видел, потому что его подняли и повели, больно держа за локоть.

— Чего вы в меня вцепились? — спросил Верховойский. — У меня паспорт есть, я поезда жду.

— Заткнись, — повторил полицай, только ещё более неприятным тоном.

В привокзальном участке у Верховойского забрали документы, ремень, деньги и посадили в клетку.

Минут через десять пришёл полицейский, весь какой-то старый, серый, желтозубый, носатый, из носа волосы. Уселся за стол неподалёку от клетки и стал листать паспорт Верховойского так внимательно, будто искал там штамп: “Разыскивается Интерполом”.

— Господин полицейский! — жалобно попросил Верховойский. — У меня в паспорте лежит билет, обратите на него внимание!

— Ты что тут рисуешься у вокзала? — спросил полицейский, помолчав.

— Я поезда жду! Где мне его ещё ждать? На Красной площади?

— А за дедом чего гнался? — спросил полицейский через полминуты. Казалось, что звук до него доходил очень долго.

Зато до Верховойского — мгновенно.

— Спутал со знакомым, — сказал Верховойский.

— Пьяный ты, — горестно сказал полицейский ещё через минуту. — Мы десять минут смотрели, как ты там колобродил…

— Я ведь просто пиво пил, — сказал Верховойский.

— А ты знаешь, что пиво нельзя пить на улице? — строго поинтересовался полицейский и тут же, без перехода, спросил: — Сколько денег с собой было?

— Не помню… Было что-то…

— Ну, вспоминай, — посоветовал полицейский и ушёл.

Верховойский скучал в клетке. Пивные силы начали оставлять его, к голове подступали чёрные тучи, свинцовые обручи, пахучие онучи.

Он зажмурился от ужаса: состояние было такое, что смерть казалась и близкой, и мучительной.

"А вот открою глаза — а тут опять дед сидит!" — подумал Верховойский. Подождал и открыл глаза. Никого не было. Лучше б, наверное, было. Он чувствовал невыносимый стыд и ужас.

"Значит, я не чудовище, раз мне чудовищно, — вяло, с чёрной тоской в мозгу каламбурил Верховойский. — Чудовищу ведь не может быть чудовищно — ему всегда нормально…"

Последнее "о" отозвалось такой пульсацией в голове, словно вся она была полна мятежной и мутной кровью, рвущейся наружу.

Морщась, Верховойский прилёг на пахнущую всей человеческой мерзостью лавку, некоторое время пытался заснуть, и даже вроде бы получилось, но пробуждение случилось быстро — что-то больно взвизгнуло в области шейных позвонков, и пришлось очнуться.

Верховойский начал тихо стонать, то открывая глаза, то закрывая, — голову ни на мгновение нельзя было оставить в покое, иначе случилось бы что-то непоправимое. В очередной раз открыв глаза, увидел часы в дежурной комнате — оказывается, до поезда оставалось всего пятнадцать минут.

— Господин полицейский! — позвал Верховойский из глубины своего чёрного, заброшенного, всеми плюнутого колодца. — Господин полицейский!

Его слышали, но никто не реагировал.

— Да что ж это такое, — сморщился, как старая обезьянка, Верховойский; наверное, он был ужасно некрасив в эти минуты.

— Да что ж это такое! — крикнул он, когда осталось уже минут шесть. — Что же вы так издеваетесь! Как же вам не стыдно!

Еще через полторы минуты пришёл дежурный. Неспешно открыл клетку, попросил Верховойского расписаться в журнале, отдал паспорт, ремень и сказал: "Свободен!"

* * *

К поезду Верховойский мчался бегом, впрочем, через двадцать метров осознав, что́ значат тысячи сигарет и многие литры алкоголя, пропущенные через его тело.

Вдоль состава он уже не бежал и даже не шёл, а только, будто агонизируя или отбиваясь от ночного кошмара, перебирал бескостными, готовыми согнуться в любую сторону ногами. Он ещё пытался прибавить ходу — но на самом деле лишь мелко семенил, изображая бег, — в конце концов, если б он просто и привычно шагал, это оказалось бы куда более быстрым способом передвижения.

— Ну, давай же! — звала Верховойского проводница далёкого, как материнская утроба, вагона; лицо её расплывалось сквозь его слёзы, в которых тоже было градусов тридцать спиртовой крепости — откуда ж в теле Верховойского взяться чистой воде; дышал он недельным перегаром — попав в это дыханье, небольшая птица рисковала ослепнуть.

Он не пошел в купе сразу, а стоял в тамбуре — изо рта текла и не вытекала бесконечная слюна, такая тягучая и длинная, что на ней можно было бы удавиться.

"Интересно, а можно вот так умереть?" — думал он, пульсируя всем телом.

Поезд вздрогнул, сыграл вагонами, тронулся, проводница ушла, и Верховойский, обернувшись к противоположной двери, увидел того самого, поросшего волосами дедушку — он стоял на платформе и кому-то махал рукой и делал всякие дурашливые знаки, типа: держись, крепись, веселись, не упускай своего.

Поспешили назад по своим делам привокзальные здания, недострои и долгострои, начали делать длинные прыжки придорожные столбы, а Верховойский всё стоял в тамбуре.

Потом, неожиданно для самого себя, собрал отсутствующие силы и пошёл в купе.

Там уже разложились и спали три мужика. Его верхняя левая полка была свободной.

На улице рассвело — состав нёсся сквозь весеннее утро; начались леса; некоторое время Верховойскому казалось, что он слышит поющих птиц, — одновременно он стягивал джинсы, рубаху, носки — всё пахло пьяным телом, пьяной кожей, всею плотью, но в первую очередь разлагающейся, втрое увеличенной печенью и ещё скотом, скотобойней...

Накрыв голову подушкой, Верховойский попытался заснуть.

Зашла проводница, ещё раз проверила его билет.

Как только отступало тяжёлое опьянение, у Верховойского начинались изнуряющие половые позывы — судя по всему, тело понимало, что вот-вот издохнет, и требовало немедленного продолжения рода. Проводница была в синей юбке, не очень молода, не очень красива — но она могла бы продолжить род, она могла бы. Верховойский терзал себя мыслями, как он лезет к ней в её маленькое рабочее купе в самом начале вагона, а потом лезет в эту синюю юбку — как в мешок с подарками — и долго нашаривает там рукой: что же я хотел тебе подарить, дружочек, что-то у меня тут было, какой-то живой зверёк, ну-ка, где ты, мышь, сейчас я тебя найду, вцеплюсь в тебя пальцами…

Сон снова подцепил Верховойского, словно поймал его в старую сеть с большими прорехами — всё время наружу высовывались то рука, то нога, то лоб — и тогда рука, нога или лоб замерзали, леденели, и Верховойский поспешно прятал эту часть тела под одеяло. Сон тащил его на берег, рыбак не был виден, Верховойский не сопротивлялся и только страдал всем существом.

На берегу Верховойский вздрогнул и остро, как укол булавки, понял: умер сосед по купе.

Умер наверняка.

Сосед не дышал и не шевелился — восковая, твёрдая, чуть жёлтая шея, видная из-под одеяла, явственно давала понять: труп.

Всё это Верховойский вспомнил и понял, ещё не открыв глаза.

“Как быть?” — решал. С одной стороны, труп себе и труп. Просто лежит. Проводница обнаружит, что это уже не пассажир, а труп пассажира — на конечной станции следования — где выходит и Верховойский, — но он же выйдет раньше.

“Хотя потом начнётся следствие, — размышлял Верховойский. — Будут вызывать. Возможно, я стану подозреваемым в убийстве. Он, кстати, не убит ли? Быть может, он не просто умер, а его убили?”

Верховойский скосился вниз и сразу увидел эту шею, этот воск.

Он ещё какое-то время представлял, как его находят в городе, везут на допрос или на опознание.

У Верховойского имелась странная черта: он был способен, хотя не очень любил, врать, зато искренне говорить правду не умел вовсе — получалось сбивчиво, нелепо и подозрительно. Если б его, к примеру, поставили перед вопросом: “Ты украл деньги?” — в любой ситуации, в случае пропажи чьей-то сумочки на работе или некой суммы из портфеля в школьной раздевалке, — он бы растерялся, и начал бы молоть околесицу, и вообще вести себя так, что всем сразу стало бы очевидно: вот он, ворюга.

И тут, значит, убийство в купе. Вошёл самым последним. Все спали. У него единственного была возможность убить. Тем более что спал к тому моменту и потерпевший, впоследствии ставший мёртвым. Пока он не спал — его было убить сложнее. А заснувшего — возьми и убей.

Взял и убил.

И забрался спать на верхнюю полку, какой цинизм! — думал о себе Верховойский как о натуральном убийце.

“Я находился в состоянии алкогольного опьянения, — начал он оправдываться перед судом присяжных, — у меня ужасно болела голова… я пил уже пятый, нет, шестой день, спал мало, похмелялся уже с утра, тёмным пивом… к тому же я был в бане — и там… В общем, неважно”.

— Нам всё важно! — ответил твёрдо, но устало судья.

— Это было не-пред-на-ме-рен-ное убийство, — произнёс Верховойский искренне и с болью в голосе, снимая все вопросы сразу.

Тут где-то позади Верховойского, за стенкой купе раздалось быстрое женское дыханье, и сразу стон — лёгкий, нежнейший, не оставляющий никаких сомнений, что с этой женщиной сейчас происходит.

Верховойский тут же забыл про соседский труп, чёрт бы с ним, и обернулся к стене, за которой слышалось ритмичное постукивание чего-то о что-то. То ли стучал не снятый с ноги мужской ботинок, то ли оставленная на женской ножке туфелька, то ли голова — быть может, даже женская голова, а может, и колено, чьё угодно колено — места же мало на полке, куда деть четыре колена сразу.

Женщина ещё раз застонала. Голос был молодой, ломкий, удивляющийся.

“Но как же? — подумал Верховойский. — Там же купе! Одно дело труп — он может просто лежать, никому не мешая! Но женщина — её же услышат все соседи по купе!”

Верховойский, как слепой, суетно и торопливо трогал стенку, выискивая планку, которую можно отогнуть, или шуруп, который можно вывернуть, — чтобы всё, насквозь, увидеть.

“Какое же там у них счастье происходит! — думал Верховойский. — Какое счастье и радость! Как им обоим счастливо и радостно! Почему же люди почти всегда делают это друг с другом, сплошь и рядом, за каждой стеной, а я почти никогда, — а когда делаю — у меня нет такого счастья, какое было бы, окажись я сейчас там, за стенкой, между чужих розовых коленей!"

"А какая эта женщина?" — думал Верховойский. Когда слышишь подобный, вскрикивающий и задыхающийся женский голос, всякий раз ужасно — просто ужасно! — желается её увидеть. Она ведь должна быть красивой. Или просто хорошенькой. Но очень хорошенькой. Такой вот хорошенькой, от которой вовсе не подозреваешь подобных поступков — чтоб решиться в поезде… или где-то в другом, почти общественном месте… где могут застать, заметить…

Верховойскому к тому же очень не хотелось, чтоб кто-то из соседей по его купе, исключая, естественно, мёртвого, услышал происходящее за стенкой.

Женщина тем временем стихла — как-то разом, как отрезало, — ни перешёптывания, ни смеха, ничего.

Верховойский вдруг догадался, почему она могла себе позволить такое поведение. Его купе было вторым от закутка проводницы. Между проводницей и купе Верховойского, кажется, было ещё одно, маленькое, как конура, одноместное купе — туда-то и забрались эти… двое…

"Совсем стыда нет, — сладко, но чуть обиженно думал Верховойский. — Совсем нет… Ладно, меня не стесняются — я-то всё понимаю, но проводницу! Ей каково!"

"И теперь притихли там… Нет бы ещё… пошевелились…"

Пока женщина за стеной дышала, Верховойский даже забыл, как мерзко он себя чувствует, какая мука заселилась в его голове.

А в тишине опять вспомнил.

Вот если бы его позвали в соседнее купе — у него даже голова прошла бы. Может быть, попробовать объяснить этой женщине, что ему нужно… в общем говоря, он ведь хочет её не из половых прихотей, не из разврата, не из пошлости, не по причине неистребимой мужской кобелиной сути — нет, всё не так. Просто у него очень, очень, очень болит в голове. Некоторая помощь необходима ему, чтобы избавиться от страдания. Это акт милосердия будет с её стороны, ничего общего не имеющий с плотским копошеньем. Даём же мы таблетку цитрамона страдающему человеку. А если у вас нет цитрамона? Нужна же хоть какая-то замена!

Верховойскому не терпелось выйти в коридор и посмотреть, какая она — она же ведь должна была вскоре появиться, сходить в туалетную комнату, поправить причёску и прочее.

"Какой вид у неё будет? — размышлял Верховойский. — Независимый? Уставший? Весёлый?"

Весёлый — самое маловероятное. Напротив, казалось Верховойскому, женщины тут же забывают, что с ними происходило, ведут себя так, словно бы они ни при чём.

Но всё-таки надо выйти и проверить: так всё будет или как-то не так.

Верховойский перевернулся на другой бок и снова наткнулся на воск. О, какая поганая мёртвая шея.

Надо что-то сделать с воском.

"Всё время надо что-то делать", — печалился Верховойский.

Он лежал, пытаясь хоть о чём-нибудь размышлять, но ничего не выходило. Мысли путались одна за другую, и получалось думать только отдельные слова, причём каждое с восклицательным знаком в финале: “...пытаюсь!.. надо!.. сосед!.. выйти!.. поезд!..”

Устав вконец, Верховойский приступил к одеванию, стараясь не помнить, что у него творится в голове. Голова разрушалась и сыпалась.

Рывками натянул джинсы — отчего-то джинсы изнутри пахли, как если бы в них слило мочу какое-то мелкое животное вроде ежа. Рубаху натягивал, уже спрыгнув вниз (в голове при этом что-то спрыгнуло вверх), и одновременно влезал в ботинки. Надо было идти к проводнице, чтобы сообщить ей про труп. Осталось только убедиться, что это всё-таки труп.

Верховойский тихо и медленно просунул руку под простыню и потрогал ногу трупа. Пятка была ледяная. Под простынёй лежал мертвец, безусловный и очевидный. Верховойский повёл рукой дальше — вдоль ноги, и тут мужчина неожиданно и резко развернулся, вскрикнул, уселся на своей нижней полке — делая всё это одновременно.

Верховойский удивлённо смотрел на кричащего человека. Оживший труп, сначала просто кричавший какую-то согласную букву, вскоре придумал отдельное слово, которое можно было с выражением выкрикивать.

— Грабят! Грабят! Грабят! — восклицал он.

Тут же проснулись остальные два соседа по купе.

Сосед сверху сначала перегнулся и посмотрел вниз на кричавшего, а потом уже на Верховойского.

Сосед снизу, находившийся за спиной Верховойского, присел на своей полке и быстро попытался подтащить к себе ботинки пальцами ног.

Верховойский сделал шаг вбок, потому что мешал соседу искать ботинки, а тот ещё и подтолкнул Верховойского.

Верховойский отскочил к самой двери и озирался оттуда.

На шум ворвалась проводница:

— В чём дело?

— ...полез ко мне в простыню! — кричал бывший труп. — ...что-то хотел вытащить у меня из карманов, — труп сдёрнул простыню, и здесь выяснилось, что он спал в брюках.

У трупа было тёмное, в чёрных крапинах лицо, он был носат, неприятен, набрякшие веки, неопрятная щетина, неровные зубы: лет под шестьдесят с гаком на вид, хотя наверняка сорок пять, ну, сорок девять.

— Чего мне нужно у тебя в простыне, идиот? — заорал Верховойский. — Что мне там взять?

— А! — заорал в ответ труп. — Значит, ты искал что взять!

— Я сейчас полицию вызову! — сказала проводница.

— Он искал что взять! — кричал труп, и чёрные пятна прыгали у него по лицу.

Верховойский скривился то ли от злобы, то ли от страха, то ли от бессилия, махнул рукой и ушёл в тамбур. В тамбуре не было никого.

Похлопал по карманам и — вот те раз! — нашёл в заднем смятую пачку с одной сигаретой.

Ах ты, сигарета. Ах ты, никотиночка моя.

Вот только зажигалки не было.

Сколько зажигалок он оставил на пьяных столах — ими наверняка можно было бы зажечь свечи перед иконами всех православных святых поголовно, и заодно подпалить несколько вражеских конюшен.

Но сейчас не было ни одной зажигалки и ни одного святого поблизости, чтоб дал прикурить. Только сам Верховойский отдавал конюшней.

Вроде бы оставалась зажигалка в куртке — но возвращаться в купе он боялся.

Какая же глупая ситуация: с одной стороны, всё-таки хорошо, что он не проходит по делу об убийстве, но зато теперь непонятно, из чего получился натуральный грабёж.

Ох!

Раскрылась дверь в тамбур, заглянул мужчина в синей форме — тоже, видимо, проводник.

Верховойский притих. В зубах его притихла сигарета, не шевелясь.

— Вообще здесь не курят, — сказал проводник.

Верховойский виновато сморгнул.

— Чё там у вас стряслось? — спросил проводник, вытаскивая из кармана зажигалку — большую, красивую, резную, в форме зверя, — и подал её Верховойскому.

Проводник был симпатичный, улыбчивый, с ямочкой.

Верховойский нерешительно прикурил. Попытался было вернуть зажигалку, но проводник отмахнулся:

— Дарю! Я неделю назад курить бросил!

Верховойский ответил просто и честно:

— Мне показалось, что он умер! Я решил проверить! Не будешь же труп трогать за голову: а вдруг живой? Я решил потрогать за ногу!

— Показалось, что умер? — проводник довольно хохотнул. — Умер и лежит, спать не даёт? — он ещё раз хохотнул.

Верховойский тоже улыбнулся — слабо, пристыженно, просительно.

— Первый раз такая ерунда, — пояснил он. — А тут ещё мы выпили… В баню пошли…

Верховойский внимательно посмотрел на проводника, тот, приветливо щурясь, слушал и спокойно ждал продолжения речи.

— И в бане, — закончил Верховойский, — ко мне в парилку зашёл дед, поросший белым волосом, гадкий на вид. То есть не зашёл, а показался.

— Показался? — проводник широко улыбнулся. — То есть он не с вами был?

— Не с нами, — сказал Верховойский. — Его вообще не было.

— Добрый дед-то? — спросил проводник заинтересованно.

— Вроде да, — ответил Верховойский.

— Это банник, — сказал проводник весело и уверенно, как про своего знакомого. — Банник паровой.

— Что это? — спросил Верховойский.

— Нечисть! — просто ответил проводник, но посреди слова закашлялся и долго кашлял, согнувшись. Откашлявшись, пояснил с улыбкой:

— Курить, говорю, бросил неделю как… А тянет. Ни от одной привычки не отвяжешься никак!

Они постояли молча. Верховойскому всё-таки было не по себе.

— Что теперь, полицию вызовут? — наконец спросил он проводника.

— Да ладно, какая полиция, — отмахнулся проводник. — Иди, досыпай…

— Я, знаете, не хочу. Боюсь. Я, наверное, тут в тамбуре постою, — сказал Верховойский.

Проводник внимательно посмотрел на него, вздохнул, попутно полюбовался на один, а затем на второй носок своих отлично вычищенных ботинок и решил:

— Иди в шестое купе, хорошо? Там нет никого.

* * *

Верховойский докурил.
Чем дальше курил — тем меньше было удовольствия. Во рту стоял мясной вкус — притом что это был вкус собственного мяса.

По вагону он прошёл быстро, пугаясь, что дверь в его купе будет распахнута — тогда ему придется столкнуться с ожившим трупом и ещё о чем-то объясняться.

Но нет, все купе были закрыты.

Верховойский нашёл шестое и поскорей спрятался там. Оно оказалось пустым. Это было прекрасно. Кабы не голова — совсем было бы хорошо. Но пока было совсем плохо.

Он в очередной раз снял рубаху и джинсы, и опять взобрался на верхнюю, уже расправленную полку, и зарылся в одеяло. Сделал там себе домик, лежал в темноте, дыша освежёванным телом, ежиной мочой, варёной печенью, плесенью, вчерашним спиртом, прокисшим пивом. Уютно…

"Куртку потом заберу… Перед самым выходом…" — решил Верховойский.

Но опять укусила булавочная игла, и он, сев, остро и болезненно вспомнил (он же только что видел!): рядом с его прошлым купе не было никакого одноместного — а сразу закуток проводницы.

"Это, что ли, проводница так развлекалась? — спросил он сам себя. — А с кем? С этим вот вторым проводником?"

Минуту Верховойский сидел, потом у него стали мёрзнуть плечи, и он снова улёгся.

“Чего ты всполошился-то? — поинтересовался сам у себя. — Ну, проводница и проводница… Хотя голос ведь совсем не её был!”

“А с чего ты взял, что не её?”

“Не похож!”

“Женщины, когда так делают, — они тоже не совсем на себя похожи, и этот их голос ты никогда не услышишь, даже если очень попросишь! Даже… если очень…”

Верховойский начал задрёмывать — в полудрёме вспоминая, что в прошлом купе… этот ограбленный труп с носом и плохими зубами… он почему-то был похож на полицейского, что возвращал ему паспорт… а деньги, кстати, зажал… да и все остальные соседи по прежнему купе… оба мужика… тоже почему-то были похожи друг на друга и на этого носатого… и как сильно пахнет плотью… землёй какой-то…

— О как! — громко сказали рядом с Верховойским.

Выждав секунду, он осторожно выпростался из-под одеяла, успев подумать, что это полицейский из дежурной части явился, или, скорее, труп из прошлого купе, или они оба в одном носатом, в чёрных крапинах лице.

На Верховойского смотрел незнакомый мужчина, очень приличный, белолицый, явно раздосадованный.

— Я понимаю, что вам хочется спать, — сказал он. — Но отчего всё-таки именно в моей кровати, которую я оставил полчаса назад? Вам не хотелось согревать своим телом простынь? Вы предпочитаете для сна тёплую постель?

Самое неприятное, что вослед раздосадованному господину вошла молодая женщина, очень красивая, независимого вида.

Верховойский вспомнил, что за минуту до его пробуждения была остановка поезда. Судя по всему, это была последняя станция перед его городом.

Молодая женщина поставила красивую сумку в самый дальний край нижней полки, а после изящно уселась сама, закинув ногу на ногу. Она была в отличных, остроносых, украшенных цепочками и серебряными бляхами сапожках. Внешне всё происходящее в купе её не волновало. Но Верховойский отлично знал такой сорт молодых женщин: за этой бесстрастностью стояло идеальное, до миллиметра выверенное презрение к дурнопахнущему человеку, к чему-то забравшемуся в чужую постель.

“Как будто эта сука сама никогда не была в чужой кровати!” — зло подумал Верховойский.

— Вы как-то поясните своё поведение? — спросил между тем строгий господин.

— Вы хотите лечь? — спросил Верховойский, едва разлепив ссохшиеся губы и с трудом шевеля языком.

— Вы предлагаете мне лечь рядом с вами?

— Мы через двадцать минут уже приедем, — сказал, изнемогая от хаоса в голове, Верховойский.

— То есть что нам зря время терять? Двадцать минут у нас есть?

— Чёрт! Чертовщина! — сказал Верховойский, садясь, — внутренности головы качнулись как холодец, — обнимая себя за холодные и мокрые плечи, он почти прокричал: — Меня сюда уложил проводник! Слышите? Проводник! Подайте мне мои джинсы!

— Проводник? — переспросил строгий господин, джинсы, оставшиеся внизу, естественно, не подавая. — Сейчас мы спросим у самого проводника.

“Сейчас придут опять… а я в трусах… в чужой постели…” — грустно, будто бы предсмертно думал Верховойский.

— Извините! — позвал он молодую женщину, сидящую внизу. — Мне очень неудобно! Но не подадите ли вы мне джинсы?

Она подняла на него глаза и тут же спокойно отвернулась к окну, будто бы ничего не слышала. За окном столбы замедляли свои прыжки, неразличимые на скорости провода медленно расплетались, становились видны, их можно было сосчитать. Верховойский сосчитал: шесть. Кажется, шесть проводов или около того.

Пришла проводница в синей юбке.

— Просто нет слов, — сказала она. — У вас всё в порядке с психикой, молодой человек? Вы что тут вытворяете?

Объясняться, сидя в трусах на чужой кровати, было нелепо, и, плюнув на всё, Верховойский спрыгнул вниз.

Молодая красивая женщина поднялась и демонстративно вышла вон.

Строгий господин хотел вроде бы остаться в качестве благодарного свидетеля расправы проводницы над этим ничтожеством, однако желание что-то важное сообщить незнакомой молодой женщине до прибытия поезда пересилило. Произнося что-то насмешливое в адрес Верховойского, но обращаясь уже к изящной даме, строгий господин исчез из проёма дверей.

Проводница, кусая губы, мазнула взглядом по одевающемуся Верховойскому и тоже вышла.

Он быстро облачился — его мучили разом и озноб, и тошнота, и страх, и полсуток не покидающее его чувство гадкого бреда.

Заметил красивую сумку, которую оставила молодая женщина.

“Я устрою тебе, тварь, — подумал Верховойский. — Джинсы тебе сложно подать мне, тварь. Смотри теперь, как будет!”

За всю жизнь Верховойский ни разу ничего не украл и даже не имел подобных желаний. Но тут в нём разом выросло огромное бесстыдное чувство — более острое, чем простой соблазн. Он раскрыл молнию чужой сумки — это было почти так же, как потянуть молнию на юбке, только ещё хуже, ещё болезненней, ещё жарче для сердца.

Верховойский, не разбираясь, рыл там рукой, желая на ощупь понять, какая вещь самая лучшая, самая дорогая, самая нужная этой твари, пренебрёгшей им, его джинсами, его обществом.

Но загрохотала дверь, и Верховойский резво отпрянул, угодив спиной ровно в объятия строгому господину.

— Да исчезнешь ты отсюда или нет! — сказал строгий господин, пытаясь разминуться в купе с Верховойским.

Верховойский почти выбежал в коридор.

Поезд замедлял ход, пассажиры выстроились в очередь у выхода.

Вид за окном дрогнул и встал. По недвижному асфальту пошли в разные стороны ноги.

Верховойский заглянул в первое купе и нашёл там свою куртку.

Долго ещё озирался: не забыл ли чего?

Но у него ничего не было.

Выходил из вагона последним. На улице стояла уставшая проводница — под глазами тёмные круги. Такие бывают от недосыпа, и ещё — если перед вами недавняя вдова.

Проводница с какими-то смешанными, неясными чувствами смотрела на Верховойского.

— Вы ужасный пассажир, — сказала она. — Лучше бы мне вас больше никогда не видеть.

— Я ни в чём не виноват, — всплеснул руками Верховойский. — Меня в чужое купе отправил проводник! Неужели вы думаете, что я сам бы туда пошёл!

— Какой проводник! — ответила синяя юбка. — Тут только я проводница! Никто вас не мог отправить, не выдумывайте!

— Вот! — вдруг вспомнил Верховойский. — Вот, смотрите! Был проводник! Он даже зажигалку мне подарил! — и вытащил из кармана красивую, резную, в виде непонятного зверя зажигалку.

"Дешёвка, конечно, — попутно оценил Верховойский этот предмет, — но всё равно любопытная штука..."

— Откуда это у вас? — спросила проводница, забрав из рук Верховойского зажигалку.

— Я ж говорю, это он подарил! Проводник! — повторил Верховойский.

— Это Сергея зажигалка, — ответила проводница. — Он погиб неделю назад.

Верховойский шмыгнул носом, поиграл челюстями, снова шмыгнул и пошёл прочь.

"Хватит уже, — неопределённо сказал себе. — Хватит. Оставьте меня в покое..."

Напоследок оглянулся: да вот же он, спиной к Верховойскому, стоял всё тот же проводник, что подарил зажигалку. Верховойский крикнул “Эй!” — но только голубь взлетел, а из людей никто не оглянулся.

И ладно. И бог с ними. И пусть.

Дом Верховойского был неподалёку от вокзала. В доме жила мама, ждала молодая жена, беременная, с животом тугим, яблочным, ароматным.

Он открыл своим ключом, из кухни вышла мама, улыбаясь.

— Где? — спросил он.

— Не вставала ещё, — ответила мама, вглядываясь в Верховойского.

— Раздевайся, — попросила. — Снимай с себя всё. От тебя смрадом несёт. Ты где был-то? С кем общался? Сынок?

Верховойский молча, не стыдясь матери, разделся догола и только попросил:

— Ледяную включи мне.

ЗИМА

А.Т.

– А если я попробую выйти к морю напрямую? — спрашивал сам себя вслух.

Они приплыли вчера вечером на пароме из Неаполя; был сильный ветер, и её укачало.

Последние пятнадцать минут она сидела, закусив губу и глядя в одну точку.

От причала ехали куда-то вверх на автобусе, потом шли пешком.

Она держалась за его руку и даже не смотрела по сторонам — на все эти скалы, всех этих чаек, на спокойные и тихие огни — выглядевшие так, словно кто-то нещедро посолил крупной солью влажную тьму.

Пока он общался на ресепшен с хозяйкой гостиницы — полной, улыбчивой женщиной, она ждала на улице, сиротливо присев прямо на ступеньку и прижавшись головой к железным перилам.

...бледная и отстранённая, едва добралась до кровати.

Её уставшее, будто обращённое в себя лицо, маленькие, красиво и точно прорисованные, а сейчас потерявшие цвет губы, и маленькие зубки, всегда очень белые, и маленький язык во рту — этот язык, который… впрочем, ладно, ладно — и так понятно, как невыносимо он любил всё это, держа в руках её голову, дыша светлыми, влажными волосами и находя то, что видел, совершенным: ноздри, маленькие, как у куклы, мочки ушей, прохладные и тоже до смешного маленькие, линию лба, родинку на виске, сам висок, шею…

Она сразу легла спать, и спала беззвучно и крепко.

Он же засыпал трудно, вслушиваясь в шум близкого моря, — а ещё ночью пошла гроза, и это было так прекрасно: лежать в комнате, когда там, над необъятной водой, бьют молнии.

Проснулся рано утром, несколько раз едва-едва прикоснулся указательным и средним пальцем к её плечу: она спала спиной к нему, кажется, ни разу не шелохнувшись за ночь.

Стянул со своей груди покрывало так бережно, будто собирался себя своровать.

В комнате надел только брюки. Майку, свитер, куртку и шарф взял с собой, и всё это натягивал и накручивал на себя уже в коридоре — чтоб не разбудить её. Опасаться того, что кто-то посторонний вдруг увидит полуголого мужчину, не стоило — в гостинице они жили одни.

…да и пять утра — кто ещё выйдет гулять в пять утра?..

В ботинках с незавязанными шнурками он поспешил на улицу, словно бы валяя дурака и даже чуть-чуть кокетничая, — вот я какой, иду, будто бродяга, и шнурки за мной волочатся, и незаправленная майка торчит из штанин, и ремень болтается, и морда наглая, неумытая, влюблённая.

Воздух был густой, влажный, всё кричали и кричали чайки, во дворике покачивала на ветру красивой причёской пальма, дождь возвращался обратно в море — откуда пришёл.

Все отели и кафе — а он немедленно увидел вокруг множество крыш и веранд — были закрыты: зима.

Он влез на ближайший парапет и, глубоко вдыхая, стоял там. Сырой ветер тыкался в щёку.

Так прекрасно, так удивительно — никого нет, ни души, ни тела… цепочки и маленькие почтовые замочки раскачиваются на дверях и калитках, а кое-где входы в отели закрыты досками крест-накрест — ну, смешно же!

Недолго думая, перепрыгнул через маленький забор ближайшего отеля.

“Какой я молодой и ловкий”, — подумал, словно бы наблюдая себя со стороны.

Старался ступать аккуратно — всюду была плитка, разноцветная и скользкая.

“А то поскользнёшься и полетишь вверх ногами, вот будет смеху, когда тебя найдут тут мёртвого, с разбитой башкой…”

Сквозь большое и толстое стекло он разглядывал стойки и столики кафе в фойе пустующего отеля. Стулья были не собраны, а так и остались стоять, будто в ожидании посетителей.

На стойке администратора лежал раскрытый блокнот, и даже виднелась какая-то запись.

“Интересно, что там написано? — думал он. — К примеру: «Господин из пятого номера попросил его разбудить в полдень»… И вот не разбудил, и господин там спит до сих пор, ха. Или: «Забыл собрать стулья и подмести, вернусь в следующем году и всё доделаю»...”

От постоянных дождей стёкла были грязными. Он приложил руку и потом смотрел, как быстро тает на стекле его ладонь.

Отели располагались один за другим. Их строили на спуске к морю, и каждый последующий отель был чуть ниже предстоящего: странно, что тут не догадались снимать фильмы, где несколько злых людей пытаются поймать одного доброго, который к тому же оказался в компании милой, но неопытной и немного болезненной девушки — девушка, правда, в самый нужный момент откуда-то появится, проявит решительность: поднимет выпавший пистолет, выстрелит кому-нибудь в ногу, и тут же, ошарашенная своим поступком, бросит оружие на землю.

...одна из дверей оказалась открыта, и он очутился во дворике следующего отеля, очень довольный собой и весёлый.

“А ведь тут нет никакой сигнализации, — подумал он. — Можно забраться в любую гостиницу, и жить с любимой девушкой... каждый день меняя комнаты... Зарываться в одеяла, спать, будто зимние звери... По утрам ходить в ближайшее городское кафе и завтракать — как нормальные люди... тихо и сладко смеясь от своего хулиганства... время от времени находя друг у друга на одежде пух с гостиничных подушек, и сквозь зубы прыскать от смеха, сдувая с руки пушинку, и тут же озираться: не понял ли кто, не заметил ли — улика же”.

“Потом приедет полиция, и тебя посадят в настоящую итальянскую тюрьму”, — мрачно подумал он, чтоб немного себя угомонить.

Трогал сырые поручни, касался стен и всё поглядывал на море: стало ли оно ближе.

Услышал шум: да, это был человек — в рабочей форме, тянувший какой-то шланг возле следующего отеля.

Человек зашёл в подсобный домик у отеля и притих там.

Происходящее стало ещё увлекательнее: стараясь не очень шуметь, он взял штурмом железный заборчик и предпринял попытку незамеченным миновать новый отель, не вспугнув человека со шлангом.

Однако попасть на территорию этого отеля оказалось проще, чем покинуть её: очередные заборы оказались выше, чем хотелось бы, и даже подобраться к ним было непросто: повсюду лежали стройматериалы, неиспользованная плитка, двери припирали помпезные сооружения из досок: без излишнего грохота всё это разобрать не представлялось возможным.

Человек не появлялся, поэтому он, заботливо переступая через шланг, всё бродил то туда, то сюда по территории отеля. Откуда-то будто из подвала домика, куда зашёл человек, раздавалось покашливание.

Он вспрыгнул на парапет и пошёл по нему до самого края — увидел асфальтовую дорожку внизу, достаточно широкую. Можно было спуститься — хотя тут метра три высоты…

“…или взять и перепрыгнуть на крышу следующего отеля?” — прикидывал он. До крыши тоже было метра три.

Незаметный и неуслышанный, из своего домика вышел человек и начал сворачивать шланг.

Увидел зачарованного туриста на парапете, ничего не сказал, даже не поздоровался.

Испортил всю игру.

“А так всё весело начиналось...” — думал он, снова поднимаясь наверх, к отелю.

Пока спускался, радовался своей смекалке и ловкости — но на обратном пути всё это оказалось смешным: ну, перелез — раз, ну, обошёл забор — два, ну, перепрыгнул — три. Любой пацан так сможет.

***

Надо было искать другой путь к морю.

Наугад он двинулся по асфальтовой дорожке, ведущей куда-то влево от их отеля.

Навстречу никто не попадался.

Строения скоро кончились, и дорожка пошла резко вниз, меж деревьев.

Это был почти что настоящий лес.

Вдруг он увидел море — оно объявилось далеко, в полукилометре внизу, голое и бесстыдное.

Несколько невысоких каменистых скал стояли неподалёку от берега, в воде.

Над скалами летали чайки: наконец-то он увидел их — а то лишь слышал.

Он поспешил к морю, с твёрдым желанием разглядеть всё это вблизи, и запомнить, и поскорее вернуться в отель, чтобы принести любимой в качестве подарка, и сложить возле кровати: вот море, вот скалы, вот чайки, вот рассветное небо — бери скорей, трофеи.

Дорогу перебежал маленький зверь — кажется, заяц. Отчего-то заяц был рыжий, словно белка — но белки ведь не бегают по земле, как зайцы, когда вокруг столько деревьев. Белки живут на деревьях. Тогда кто это был?

Он не стал размышлять над встречной загадкой и тут же забыл про зверька, потому что приближающееся море занимало всё его сознание. Море — и да, эти, кажется, две скалы, странно стоящие возле самого берега, будто их кто-то забыл там.

“...в такой земле... — лихорадочно думал он, с каждым шагом по направлению к морю всё слаще и острее ощущая свою малость, — ...в такой красивой земле, конечно же, не могли поверить в одного бога... здесь всего с излишком — моря и неба, чаек, воздуха... так много дождя — когда приходит дождь... так много страсти и солёной ярости... всем этим не мог владеть один бог. Поэтому боги в этих краях рождались и жили целыми стаями, и все эти боги были красивы... и страстны, и яростны, и любвеобильны...”

В той стороне, откуда он был родом, ему никогда не хотелось взлететь. Напротив, куда чаще его охватывало желанье припасть к земле и попытаться её согреть — такую холодную и одинокую.

Припасть к ней и пропасть в ней.

А здесь — здесь он оглядывался по сторонам, словно пьяный, и хотелось сначала закричать, изо всех сил, чтоб от крика с этих скал осыпались несколько камней, — а потом ощутить за спиной крылья, и с хрустом расправить их, и отчаянно рвануть куда-то вбок и вверх, принимая на грудь порыв ветра, готового сбить тебя в море, — наивного глупца, возомнившего себя невесть кем.

Необъятная солёная вода становилась всё ближе.

Он торопился по ступеням, иногда осознавая, что на лице его уже несколько минут как застыла улыбка — и тут же забывая об этом своём тихом и упоительном сумасшествии. Но если бы кто-то увидел его сейчас — напугался бы.

По-настоящему счастливые люди, не скрывающие своего счастья, должны бы вызывать у нас ужас: они же невменяемы.

С каждым шагом он всё больше погружался в клокотание моря, его запах, его рассеянную в воздухе влагу и власть.

Выйдя из лесной посадки на открытое пространство, он обнаружил на берегу закрытое кафе, а рядом симпатичный, словно бы рыбацкий, крашенный белой краской дом.

Смешно было бы найти дикий берег прямо под самым городом, и он не огорчился, а, скорей, обрадовался пустующему кафе и белому домику: так даже лучше.

Город за спиной лежал будто покинутый: ни огонька, ни дымка, ни движения. Только приморская зима, и чайки, давно отвыкшие от людей — а что люди? — люди узнали о том, что с моря приближается нечто ужасное, несущее всем погибель, и поспешили уехать, уплыть, оставить свои жилища.

...и только вот его позабыли и не заметили.

Его и её.

Она лежала там, в пустой гостинице, горячая и ароматная, со своим прекрасным лицом, и он с жалостливой, отдающей прямо в сердце болью вспомнил маленькие, красиво и точно прорисованные, а сейчас потерявшие цвет губы, и маленькие зубки, всегда очень белые, и маленький язык во рту — этот язык, который... впрочем, ладно, ладно — и так понятно, как невыносимо он любил, любил, любил всё это.

* * *

Он ходил вдоль берега, словно искал что-то и никак не хотел найти.

Море было восхитительным — с трудом он спустился по камням и погладил воду. Вода показалась ласковой, но своенравной.

Вблизи, стоящие в клокочущей, вскипающей воде, две скалы выглядели ещё более таинственно.

Всякую секунду казалось, что вот-вот из-за ближайшей скалы появится лодка с не чаявшими добраться до суши путниками, и вид их будет необычен, а язык невнятен. Или дозорный корабль с недобрыми людьми, которые, увидев досужего гуляку на берегу, тут же выстрелят в него из мушкета. Или вынесет волной мёртвое тело — то ли большой рыбы, то ли человека... или большой рыбы, съевшей человека... или человека, уже накормившего собою малых рыб и оттого потерявшего лицо — ну, хотя бы часть лица.

Он заметил тропку, ведущую на скалистую возвышенность, откуда, кажется, имелся удивительный вид.

Он пошёл по тропке, изредка с лёгкой опаской вглядываясь в море, клокочущее внизу.

“Будучи пьяным, тут несложно сорваться и убиться насмерть”, — подумал он с непонятным ему самому удовольствием.

Чувство, возникшее в нём, было странным: поднимаясь по тропке, чтоб в одиночестве поздороваться с утренним морем, — он шёл будто бы на суд, где его могли осудить на смерть, а могли одарить необычайно и щедро.

Наконец он поднялся и смог как следует рассмотреть скалу — ту, что стояла посреди воды. В скале, в самом центре её был сквозной проход, расщелина — из этой расщелины ежеминутно вырывалась возмущённая вода... после недолгого затишья начиналось бешеное бурление, и, нагнанная новой волною, снова катилась шипящая пена.

Он смотрел на это долго — быть может, полчаса, а может быть, и дольше.

На воду нельзя было насмотреться.

Эта вода являла собой бездну. В эту воду ушли тысячи и тысячи героев. В этой воде сгорели боги со всеми их чудесами и колесницами. В этой воде растворились нации и народы. И лишь она одна осталась неизменной, и гнала сама себя в эту расщелину с одной стороны, чтоб в пенной, животной, белоснежной ярости выкатиться с другой.

И так тысячи лет.

Хотелось приобщиться к этой неизменности или хотя бы попытаться почувствовать её ток.

Вышедшее солнце было сладким и медленным — от него шло тепло, как от лимонного пирога, только что вынутого из печи.

Он снял куртку и затем свитер.

Подумал — и стянул майку.

Нет, ему было не холодно. Он разогрелся, пока спускался через лес к морю и вновь забирался по тропке сюда. К тому же — солнце...

Бросил одежду и улёгся на неё, трогая руками камни.

Закрыл глаза.

Клокочущая вода внизу, медленное солнце сверху, он посередине, со своей душою и своей кровью.

Он старался не думать, и у него получалось.

Кажется, тут, в этой бескрайней благости, не хватало только его, чтоб всему миру обрести единый ритм.

Без него светило поднималось непонятно зачем, чайки кричали неясно про что, море бесилось само по себе, скалы дичали.

И лишь он — принёсший сюда 36,6 градусов своего тепла, своё глупое, незагорелое человеческое тело, — именно он заставил всё вокруг стать единым и нерасторжимым.

Так ему казалось, пока он лежал с закрытыми глазами и пытался, не поднимая век, понять, где сейчас находится солнце — там ли, где он оставил его, закрывая глаза, или уже совсем в другом месте.

Случившееся далее было почти необъяснимым. До моря, шумевшего где-то внизу, было не меньше десяти метров — он так и не понял, как оно могло исхитриться и достать разнежившегося, полураздетого человека — его.

Но всё случилось, как случилось: в одно мгновение на него, словно бы в шутку, обрушилось литров тридцать воды: волна вытянула невозможно в эту погоду длинный язык и лизнула.

Он вскочил, ошарашенный — не успев толком испугаться — и тут же захохотал над собой.

Это воистину было смешно: разлёгся, размечта-а-ался, залип… Дурак! Самоуверенный дурачина!

Вся его одежда была сырая. Брюки такие, будто их только что постирали. Свитер, на котором, между прочим, лежал — и тот хоть отжимай. Он, кстати, попробовал отжать, и это оказалось бесполезным: вода пропитала каждую его шерстяную нитку, свитер стал вдвое, а то и втрое тяжелее.

Он перегнулся и глянул вниз, на воду — вода по-прежнему была далеко, и ничего в природе не могло объяснить эту весёлую шутку над человеком.

— Хорошо ещё, море не слизнуло тебя целиком! — воскликнул он вслух и снова захохотал.

Это было счастье.

* * *

Он возвращался в гостиницу, преисполненный восторга. Несколько раз оглядывался на море: ужо я тебе! — смешно грозил он, — ужо я тебе!

Море не обращало на него никакого внимания.

Свитер, который он повязал на пояс, был тяжёл, как доспехи.

Куртку он надел на голое тело.

Тело было солёным.

Солнце вставало всё выше.

Он так торопился, что потерял свою гостиницу, прошёл куда-то дальше и некоторое время озадаченно озирался.

Показалось, что все отели на одно лицо: крыши, заборы, калитки — нет разницы.

Успокоил сердцебиение, сделал сорок шагов назад, и нашёл.

Надо было успеть всё сделать, пока не высохло море на коже, не выветрился запах солёной воды.

Ботинки вместе с носками он снял в коридоре и оставил там. Подумав, там же, прямо на пол, бросил куртку, свитер и майку.

В одних джинсах, беззвучно вошёл в номер.

Она проснулась через несколько минут — розовая и полная ожидания, как только что сорванное яблоко.

Её маленькие, красиво и точно прорисованные губы обрели цвет, и виднелись маленькие зубки, всегда очень белые, и маленький язык во рту — тот самый язык, который… впрочем, ладно, что тут говорить, он давно уже выучил без запинки и ноздри, маленькие, как у куклы, и мочки ушей, прохладные и тоже до смешного маленькие, и линию лба, и родинку на виске, и сам висок, и шею, и улыбку, которую он подстерегал каждое утро, как охотник…

Она проснулась и улыбнулась, глядя на него. Вот улыбка — лови, охотник.

Он как раз завершал свои дела.

— Посмотри, я всё нормально уложил? — спросил он и поставил её сумку возле кровати.

В сумке, вразброс, смятые и спутанные, лежали её вещи, она успела оттуда вытащить только халат, он запихал его обратно, и сгрёб всё то, что она непонятно когда успела разложить в ванной — эти её щетки, тюбики, флаконы и помады… заодно бросил пять или шесть брикетиков с мылом, которые уже лежали в номере, — а вдруг пригодятся: измажется где-то, нужно будет вымыть руки, а он уже позаботился.

— Одевайся скорей, — торопил он шёпотом.

Пальма за окном раскачивалась на ветру.

— Скоро паром, тебе нужно успеть, чтоб уехать, — повторял он, а она всё улыбалась, предчувствуя игру, только что это за игра, никак не понимала — и даже, будь что будет, чуть высвободила ногу из-под одеяла — эта нога точно должна была поучаствовать в игре; тёплая, нагретая, сочная, голая, в нежнейшем пушке нога.

Он заторопился, чтобы не обратить внимание на эту ногу и не отвлечься, и поэтому склонился к её лицу, по пути увернувшись от раскрывшихся навстречу губ, и прошептал на ухо:

— Я больше не люблю тебя.

РЫБАКИ И КОСМОНАВТЫ

Так забавно: новорождённого ребёнка приводят за поводок.

Висит на пуповине, как космонавт: Земля, Земля, я на связи, отвяжите — выхожу в открытое пространство.

Отпусти пескаря в пруд, рыбак. Что ты к нему прицепился.

Поверить не могу, что со мной всё это когда-то произошло.

Если есть поводок — значит, меня где-то нашли, подцепили, потянули за собой.

А где?

Когда я открывал рот, делая первый вздох, какое слово мне хотелось выговорить?

Может быть, назвать место предыдущего обитания?

...механическая коробка передач, “Жигули” шестой модели, жара июньская — всё это мало располагало к философии, но я философствовал — на мелкотемье: как умел.

У меня родился первый ребёнок, сын.

Что ж, здравствуй, отец, — я посмотрел на себя в зеркало заднего вида.

Небритое, невыспавшееся лицо безработного шалопая.

Неужели мой пацан выбрал именно меня, перебираясь из своей обители сюда на ПМЖ.

Пацан, ты ничего не попутал?

Обгоняя и подрезая на своей железяке машины вдвое, а то и втрое больше моей, — впрочем, фарт длился только до следующего светофора, дальше меня с лёгкостью уделывали, — я примерял к себе это слово, "отец", — то как медаль на лацкан, то как печать на лоб, то как колодку на ногу.

Призна́юсь, места этому слову не было вовсе.

На ноге моей была сандалия, на лбу — дурацкая панамка, лацкан отсутствовал вместе с пиджаком.

"Надо цветы купить", — вспомнил я.

Жена меня ждала к определённому времени, оставалось минут семь, но я должен был успеть.

Надо достойно начать долгий путь отцовства.

Универсальный магазин сверкал, как стеклянный гроб из сказки Пушкина. Тут вроде бы водились цветочки.

Открыв подлокотник автомобиля, я собрал все пыльные медяки.

"Сторгуешься!" — мстительно, но весело то ли пообещал, то ли приказал себе и, вдарив дверью, пошёл.

Деньги меня оставили уже пару недель как и больше не возвращались, невзирая на мои всё более уважительные обстоятельства.

Вместо цветов первым делом увидел в магазине Фёдора.

Фёдор поспешил прочь.

В своё время он казался мне надёжным парнем, я бы целую жизнь так и доверял ему, но всего один его поступок испортил картину.

Два месяца назад я работал вышибалой в ночном клубе: пятьдесят рублей за ночь, чем не прибыток, тем более что в праздники — сто.

Однажды, под утро, на приступках клуба появился хорошо одетый заезжий гость, видимо, в поисках хорошего времени. Он долго и задорно, время от времени пьяно хохоча, о чём-то ругался с таксистом: судя по всему, гостю не хватало наличных средств.

Разобравшись наконец, гость явился у окошечка кассы и почти сразу снова начал шуметь. Я отправился послушать, о чём речь.

У него были только доллары, рубли кончились.

— Служивый, — сказал он мне, хоть я был не служивый, а просто в камуфляже. — Ваш кассир не желает принимать валюту. Смотри: сто долларов на местный расклад означает три тысячи. Я продам тебе сто долларов всего за тысячу рублей.

Чтоб не казаться голословным, он, не глядя, извлёк из внутреннего кармана расстёгнутого пальто штук двадцать или тридцать сотенных — ясно было, что их там ещё больше.

В эту минуту на приступки клуба выбежали из помещения девчонки, одни, без кавалеров.

Весёлые и, как многим приходящим в клуб казалось, замечательно доступные.

Несмотря на мартовский холодок, они были в таких, как бы сказать, шортиках. Колготки в свете фонарей будто искрились.

— Двести долларов за тысячу, — сказал я твёрдо.

— Да ладно? — сказал он.

— Ночь, — сказал я. — Где ты поменяешь такие деньги? Таксист уехал. Пока другой приедет, твоих девчонок закадрит кто-то другой. Да и не факт, что таксист приедет при деньгах. Тебе придётся катиться до вокзала, там искать, кто тебе поменяет твою зелень, всё настроение пропадёт по дороге, выпьешь пива, отяжелеешь, пойдёшь спать: где ты там спишь, я не знаю, но проснёшься один, настроение будет поганое — субботний вечер потерян из-за какой-то мелочи. "А удача была так близко", — подумаешь ты с утра. Короче, давай свои деньги, — и я забрал у него двести баксов.

Не думаю, что он понял всю мою речь, но сама мелодия ему на какой-то миг показалась убедительной. Минимальное мышечное усилие его большого и указательного пальцев было мной легко преодолено.

Тысяча у меня была последней, и я её, с некоторым, признáюсь, сожалением, отдал ему.

С утра мне были нужны русские деньги: жена закупала кое-что по мелочи для нашего, как она это называла, малыша, хотя никто его тогда ещё не видел; я пообещал жене обеспечить все покупки.

Ввиду того, что банки по воскресеньям закрыты, обратный обмен валюты нужно было осуществить в ближайшие часы.

Фёдор образовался кстати: он, как мне показалось, с восторгом (на самом деле, как позже выяснилось, с завистью) наблюдал мою сделку — и тут же предложил помощь.

Время от времени он подрабатывал здесь таксистом — естественно, без шашечек, сам по себе.

Я поставлял ему клиентов — если ко мне обращались за помощью утомившиеся посетители.

Он иногда отстёгивал мне с заказа рубль, а то и десятку, хотя я никогда не просил.

Мы выкуривали за ночь по сигаретке-другой, он забавно каламбурил, редко, но всегда по делу употреблял нецензурную лексику, никогда не обсуждал свою машину, и чужие автомобили его тоже не волновали, в том числе и мой, но, напротив, он интересовался отвлечёнными вопросами типа "как гулёна превращается в шалавую девку, а шалавая девка в потаскуху", в общем, Фёдор казался мне в меру остроумным собеседником — что для российского извозчика было, признаюсь, редкостью.

— Давай обменяю и привезу, — сказал Фёдор. — Ты же за границу не собираешься? — и подмигнул мне.

Только что с лёгкостью обманувший человека, я и подумать не мог, что кто-то подобным образом поступит со мною.

Фёдор уехал — и всё.

Вскоре, уже оставив работу вышибалы, я пару раз ночью, нежданно, едва ли не кустами, являлся к ночному клубу посреди ночи — в надежде поймать этого негодяя и как-нибудь особенно болезненно наказать, отняв, естественно, всю его наличность, а возможно, и машину отобрав.

Мучительно фантазируя, я выглядывал из кустов и в который раз не находил машину Фёдора возле грохочущего и сияющего здания.

И тут — на тебе: вот он, бежит, по магазину. Первый раз, наверное, здесь: не знает, что с той стороны, вопреки всем пожарным правилам, двери задраены.

У дальних дверей я его и застал.

Фёдор успел улыбнуться, открыть рот, произнести какой-то приветственный звук. Машинально, без особенной злобы, я коротко ударил его в зубы прямой правой, тут же ухватил за ворот левой и ещё несколько раз основательно вбил правую ему в грудь, в рёбра, в бок.

Всё это время Фёдор выглядел удивлённо.

— Ты на машине? — спросил я, держа его за ремень и ведя перед собой к выходу.

Фёдор задумчиво облизывался, словно его только что накормили чем-то необычным.

— Нет, — наконец догадался он. — Продал. У меня такие проблемы, ты знаешь…

— Да, — сказал я.

Возле свой "шестёрки" обыскал его. При нём не было ни рубля, ни брелка сигнализации — только один, которым разве почтовый ящик можно запереть, оловянный ключик.

Выглядел Фёдор теперь гораздо хуже, чем два месяца назад, как-то даже постарел, обрюзг.

Или, может, такое впечатление сложилось из-за того, что я видел его всегда ночами, в свете фонарей? А тут — солнце, июнь, кровь на зубах.

Девать его мне было совершенно некуда, отпускать не хотелось — в этот важный день он являлся моим единственным капиталом.

Я открыл багажник.

— Прекрати, слушай, — сказал он шёпотом, хотя мог бы и закричать — неподалёку, возле дороги, паслись гайцы.

— Быстро, сука, — велел я, и он торопливо забрался внутрь; закрывая багажник, я успел заметить его подобострастный взгляд.

Всё это было так не похоже на Фёдора — неглупого и вполне самодостаточного парня.

“Может, это вообще не он?” — растерянно подумал я.

“А кто?”

Размышлять было некогда, и я, радостно подмигнув гайцам, помчался в роддом.

Тело в багажнике тяготило меня, как нечистая совесть.

Я гнал от себя все эти мысли, ускоряясь после каждого светофора.

На подъезде к роддому налетел на двух “лежачих полицейских” подряд — что ж, Фёдор, я тебя понимаю.

“Интересно, поступает ли туда свежий воздух?..” — подумал мельком.

Всё-таки, несмотря на горечь обиды, я торопился доехать, чтобы поскорее взглянуть на своего пленника; однако жена, любовь моя, уже ждала меня на выходе из родильного дома, с кульком в руках.

Круто припарковавшись, я хотел опередить её, выбежать навстречу, но ей, конечно же, не терпелось похвастаться, и она, прямо в тапочках, пошла к машине.

Заглушив мотор, я начал было вылезать — одна нога, одна рука, одна счастливая голова уже оказались снаружи — но жена, ей оставалось десяток шагов, ласково кивнула мне:

— Сиди там, мы в салон, а то вдруг малыша продует.

В то мгновение, когда она открывала дверь, в багажнике раздалось гулкое: “Эй!” — как будто Фёдор заблудился в подземелье и звал на помощь.

Я даже не успел обрадоваться тому, что он живой, — куда огорчительней теперь было напугать жену всем происходящим.

У меня к тому же имелась судимость, это другая история, расскажу потом, — судимость была непогашенной, она тлела, её, образно говоря, можно было раздуть, оставив пацана в кульке сиротой на несколько лет: при дурном раскладе оставалось только мечтать вернуться домой к его первому классу.

Жена чуть-чуть развернула кулёк.

У меня до сих пор не было возможности научиться реагировать на подобные вещи: я стремительно оставил только цензурные варианты, но и они показались теперь не совсем подходящими.

Я не мог сказать: какой он милый! — это слово я не использовал в обыденной речи, я же мужчина.

Я не мог сказать: спасибо тебе, любимая! — по той же самой причине, в конце концов, она же меня не благодарит.

Я не мог сказать: похож на меня, или: похож на тебя, или: похож на кого-то, кого я не помню, но вроде бы видел на твоей выпускной фотографии, потому что он был похож только на себя, этот пескарь, этот космонавт.

Слипшаяся прядь на хмуром лобике, маленькие губки, в невозможно маленьком рту елозит маленький язычок, глазки зажмурены.

— Ну и ну, — сказал я.

— Что? — тут же переспросила моя любовь чуть напуганно и, как я сразу же уловил, несколько обиженно.

— Эй, — сказал Фёдор в багажнике.

Мы все высказались практически одновременно.

Я надрывно закашлял, включил зажигание, завёл машину и тут же нажал на педаль газа: "шестёрка" взревела, ребёнок открыл глаза — глаза оказались осмысленные и голубые.

— Зачем? — спросила меня жена.

— Холодно, видишь, я простыл! — сказал я громко, почти проорал, и на полную врубил печку, которая, как водится в немолодых российских машинах, сначала обдаёт пылью, следом бензиновыми парами и вкусом кислого железа, а потом уже порывистым холодным воздухом — он нагревается гораздо позже, требуя для этого долгой езды, веры, стоицизма.

Младенец зажмурился на диком ветру.

— Пойдём-ка лучше на улицу, — предложила жена.

— Да, пойдём, — охотно согласился я.

Когда я уже выбрался наружу, а жена ещё нет, Фёдор снова кого-то позвал. Голос Фёдора был жалок.

Желая его заглушить, я в бешенстве ударил своей дверью: грохнуло так, что взлетели голуби с земли.

Обежав машину, я кинулся к жене словно бы на помощь — она всё никак не могла выйти, — всё это время я слышал настойчивые вскрики и всхлипы Фёдора.

Пришло время, догадался я, обрадоваться рождению ребёнка.

— Что за младе-е-енец, — протянул я; настолько протянул, что жена, видимо, подумала: я запел. — Чудесный! — резко оборвал я едва начавшуюся песню. — Он чудесный! На меня похож! На тебя похож! Похож на дедушку! И на бабушку! — громко, с явным остервенением перечислял я, и Фёдор тоже вскрикивал — постоянно, навязчиво, неумолчно, а родственники у нас уже заканчивались, оставались либо покойные, неизвестные моей жене, либо мой брат, который в данном случае не совсем подходил.

— Как мы его назовём? — спросил я, наконец, словно мы с женою только что нашли этот кулёк, и я не знал имя ожидаемого ребёнка вот уже как девять месяцев.

На счастье, последнего вопроса она не услышала и, прикрыв дверь, с тихой улыбкой обернулась ко мне.

Чтоб окончательно доказать свой восторг, я с размаху ударил раскрытой ладонью о капот. Боль была такая, что мозг остекленел от ужаса, и тут же в глазах взорвались бешеные искры.

Фёдор удивился и замолчал.

Жена осмотрела меня с ног до головы и вдруг передала мне розового пескаря.

— Постой минутку, — сказала она. — Грязное бельё тебе вынесу... Только не кашляй на него, ладно? — и кивнула на кулёк.

Задерживая дыхание, я держал ребёнка в руках.

Отбитая ладонь ещё горела, и даже в ушах шумело от боли, но это всё было ничего.

Зато ребёнок имел вес, он оказался реален, он стремительно начинал мне нравиться.

Не знаю, кто был тот рыбак, что выловил его, но улов выглядел завидно, замечательно.

А вдруг я и есть тот рыбак?

Всё испортил Фёдор, который, видимо, набрался сил и неистово заорал.

Он вспугнул ребёнка — младенец растаращился так, что сердце моё сжалось.

Я решительно шагнул к багажнику.

— Ты, гнида, закрой свой рот поганый. Я тебе башку оторву и выкину, — сказал я отчётливо. — Я тебя сейчас вывезу за город, и там ты, мразь, всё сразу поймёшь. Ты, сука, ответишь мне. Я тебя переломаю всего, гадина. Глотку тебе перегрызу. Будешь землю жрать, как крот. Лаять будешь и выть.

Проходивший мимо в белом халате огромного роста врач вдруг встал, глядя на меня.

— Это вы... с младенцем так? — спросил он, хмурясь.

Одна бровь врача могла бы довести до инфаркта людей со слабой психикой.

— Нет, конечно, — быстро ответил я.

— А с кем? — спросил он.

Я огляделся.

Вокруг никого не было.

Я улыбнулся лучшей из своих улыбок. Я даже судье так, когда мне дали последнее слово, не улыбался.

— Просто повторяю текст, — ответил твёрдо. — Я актёр.

Мои сандалии, трико и панамка не выдавали во мне театрального деятеля, но зато я сам, в доказательство своей правоты, легко подошёл к врачу, с радостью замечая, что бровь его смягчается и расправляется.

— Что за пьеса? — спросил врач.

Я улыбался: ну, он же сам знает, образованный человек.

— А, да, — догадался он. — "Я тебя породил..." Конечно. Но там было меньше текста.

— Гораздо меньше, — согласился я.

* * *

Жена пыталась доказать мне, что бельё, завязанное в драное и старое полотенце, нужно положить в багажник, но я лучше знал, где ему место.

— Меня могут очень скоро выписать, — сказала она. — У нас всё хорошо, — горделиво добавила любимая, и здесь я впервые услышал это "нас", которое уже не касалось жены и мужа, но оставило меня за скобками.

Мы поцеловались — но тоже как-то совсем иначе, словно через незримую ткань.

Впрочем, озабоченный другим, в машину я забрался весёлым и полным предвкушений.

Рычаг на заднюю скорость — машина ж так и тарахтела до сих пор, заведённая, — с рёвом разворачиваюсь, и на максимальной скорости навстречу “лежачим полицейским” — ва-а-а-у! — и ещё раз — ва-а-а-а-й!

Я сам чуть головой не пробил крышу, что уж говорить про Фёдора.

— Фёдор! — заорал я. — Кого ты там звал, Федя? И куда мы едем? Ты куда хотел, я забыл? Лесопарк? На канавинское озеро? К городской свалке? Где у тебя ближайшие дела, Федь?

Федя что-то неразборчиво отвечал.

Я никак не мог расслышать.

Пришлось сбавить скорость.

— Стой! — кричал он истошно. — Стой!

Свернув в первый попавшийся дворик, я остановился, и поспешил к Фёдору.

А то одного космонавта выпустил на волю, а второго на дно утяну.

Фёдор выглядел ещё хуже, чем час назад. Он даже не мог подняться.

По щекам его текли слёзы, по бороде — слюни. На лбу кровоточила ссадина.

Он был синий, как небеса.

“Нелегко жить негодяем, честному человеку гораздо проще”, — подумал я и помог Феде подняться, попутно разорвав ему рубаху.

Сидя в багажнике, он долго отплёвывался, чихал и шмыгал носом.

Сжалившись, я заглянул в салон и оторвал кусок грязного полотенца: утрись, Федя.

Когда вернулся, возле ноги Фёдора лежал домкрат.

— Ага, — сказал я, — давай, убей меня за двести баксов.

— Ты же меня чуть не убил, — ответил он сипло.

— Я же за свои деньги, — ответил я, — а ты за ворованные. Так нельзя.

— Ты обманул человека, а я тебя обманул, — сказал он, подумав.

— О! — ответил я удивлённо. — Философия!.. Тот человек хотел, чтоб я его обманул. А я не хотел, чтоб ты меня обманывал.

Фёдор ещё раз шмыгнул и потрогал домкрат большим пальцем ноги.

— Поехали, — сказал он наконец. — Только в салоне. Я тебе всё отдам.

— Нет, Фёдор, — сказал я. — Вдвое больше. Ты наказан.

— Хорошо, — согласился он. — Только в салоне.

— Да хоть за рулём, — сказал я.

Он действительно сел за руль.

Я сам пристегнулся, а его отстегнул на всякий случай. А то мало ли куда он захочет врезаться.

Зато человеку за рулём не придёт в голову остановиться возле милиции и объявить, что его украли: будет смешно и неправдоподобно.

Я даже закурил.

Мне хотелось поговорить с Фёдором, но я опасался, что он меня разжалобит и собьёт цену.

— Куда ты ехал? — спросил он спустя две минуты.

Город брёл по своим делам, дома высились, асфальт нагревался.

— В морг, — ответил я.

Больше мы не общались.

Деньги Фёдор взял дома — я прошёл за ним в подъезд, нам открыла его жена, тут же сбежались дети, трое, я так и не определил, в какой пропорции они распределились между собою: два мальчика и девочка, две девочки и мальчик, или ещё как-то, хотя как?

Жена ушла на кухню, там хлестала вода, судя по звуку, в кастрюлю, жену не заинтересовали моя панамка и сандалии; с мужем она тоже не поздоровалась. Хотя, судя по радости детей, ещё с утра его тут не было.

— Папа, ты где был? Куда поедешь? — спрашивали дети его наперебой.

“В багажнике был. В морг ездил. На свалку хотел съездить. Потом опять в морг”, — отвечал я мысленно за него, но всё это меня уже не смешило.

Мне было жаль Фёдора, и ещё — я гнал эту мысль — мне стало стыдно.

Он жил в однокомнатной квартирке.

Даже если б там вовсе отсутствовала мебель, она была бы тесной.

На обоях дети нарисовали поезд и рядом написали “папа”. В последней “а” уместился домик с окошком.

Разбередив кривоногую тумбочку в углу, Фёдор вернулся с деньгами.

Четыреста долларов — он отдал их мне, глядя в сторону, и я тоже на него не смотрел.

Однако его презрение было осязаемым, как запах.

Он захлопнул за мной дверь, словно я был прокажённым и обокрал их дом, отняв молоко у детей.

— Сука, — выругался я в голос.

А что было сделать? Позвонить и сунуть обратно половину денег? Или все? С чего бы?

Чёрт! Чёрт возьми. До появления космонавта на поводке — моего голубоглазого пескаря — я не был так сентиментален.

Что со мной творится вообще!

Он взял мои деньги? Взял.

Тысяча рублей — это двадцать смен. Почти месяц поганой работы, разборок, драк, нервотрёпки, бессонных ночей, — в душе непрестанная сутолока лишних впечатлений, людской грубости, глупости, пошлости, а под глазами — круги.

То, что я взял с него больше, — так я имею право, я же не давал ему в долг; за подобные вещи в пору моей юности калечили, а то и убивали.

Он ведь сбежал? Сбежал.

Как я психовал всё это время! Как я был унижен. У меня была беременная жена, а я не мог даже её толком прокормить. Её и нашего космонавта на подлёте.

Фёдор заслужил наказания? Да, безусловно.

Так где же зазор и разлад в этой цепочке?

Разлад был уже в том, что я оправдывался.

"Жигуль" взревел.

Где тут наш универсальный магазин из сказки Пушкина, я снова хочу туда.

У меня, вспомнил я обиженно, с выпускного вечера не было костюма.

Разве в таком виде я должен являться пред очами любимой и этого, сорвавшегося с поводка.

И цветы, цветы, несколько килограммов цветов надо непременно приобрести.

Через час, наменяв полный карман денег и в кои-то веки не считая их, я увидел себя в зеркале.

О, я выглядел отлично.

Мой новый костюм, казалось, отражал отдельные предметы, белая рубашка хрустела словно капуста, лаковые штиблеты скрипели от удовольствия, и бабочка украшала весь этот ансамбль.

Побриться бы.

Панамку и сандалии я на радостях выкинул, но потом вернулся и всё-таки забрал их — не из жалости к себе, а из жалости к самим вещам: словно бы они могли огорчиться такому предательству.

Покупку цветов решил отложить на завтра, или когда там меня вызовут за пескарём — а то завянут; зато выхватил на распродаже для любимой зонтик, у неё не было зонтика, перчатки, а то скоро осень, а каково ей будет с коляской — без перчаток, озябнут пальчики, и шапочку такую, вроде как детскую, но взрослую, с длинными завязками, пушистую, мне очень понравилась, тоже купил: хоть зима и не скоро, а пусть будет шапка всё равно.

И ещё там всякое в банном отделе сгрёб в охапку торопливо — мочалочку нежнейшую, мыльце радужное, полотенце, чтоб жену три раза можно было обернуть.

Космонавту закупил что-то гремучее и разноцветное, пусть гремит и удивляется.

Деньги кончались, но моё настроение с каждой минутой становилось всё прекраснее — я наполнялся восторгом, словно воздушный шар, и в голове становилось звонко и пусто: ровно как я и хотел.

Здесь меня окликнули: эй!

Сильный мужской голос я не узнал, в шутку подумал: никак Фёдор вернулся за мной, и на этот раз, видимо, он меня украдёт.

Но нет, это был не Фёдор, а сразу три Ивана: мои когда-то закадычные, мои по-прежнему любезные, мои давние приятели.

Все головастые, как дети, неизменно весёлые, веснушчатые, и, казалось, даже пушистые.

Глазки — все шесть — маленькие, лукавые, смешливые.

Каждому, как и мне, едва за двадцать — но при этом выглядели они взрослее: натуральные мужики, и каждый обладал упрямой, ухватливой мужицкой силой.

Они давно держались вместе. Где они друг друга обнаружили, я не помню, но сошлись эти ребята как родня, их многие считали братьями — а то, что у братьев на троих одно имя, так мало ли что у отца с матерью было в своё время на уме.

Мысленно я прозвал братьев "поморы" — никаких поморов я толком не встречал, но мне всегда казалось, что живущие на северах бесстрашные мореходы должны так же крепко стоять на своих двоих и щуриться веснушчатым лицом на ветру, чтоб веснушки сначала смерзались, а потом, дома у печки, оттаивали, и дети с этими веснушками играли на полу.

Мы с Иванами одно время крутили всякие дела, Иваны казались рисковыми — но шли ровно до того рубежа, где нужно было сделать больно живому человеку. Здесь они останавливались и по-рачьи пятились назад, а потом исчезали, чтоб отыскать другой путь.

Я их понимал. Я сам старался вести себя так же, но не всегда получалось.

Потом братья начали строить: то автобусную остановку, то забор возле милицейского участка — поначалу сами, а следом наняли вагон узбеков, и, признаться, с тех пор мы толком не виделись: я ж не Иван, что мне ломать их, пошедшую вверх, компанию.

— А купаться пойдём, — сказали они мне уверенно. — А лето же. А ты чего такой нарядный?

Все трое, было видно, уже попривыкли командовать, хотя они и прежде не отличались излишней щепетильностью.

— А сын родился, — ответил я им в тон: они всегда так разговаривали, на “а”.

Тут же меня подхватили и приподняли: я сразу понял, что ребята с последнего нашего знакомства поздоровели втрое.

Каждый из Иванов раздобрел вширь и вглубь. С той же лёгкостью они могли бы меня за минуту порвать на части.

— А теперь уж точно не отвертишься, — захохотали они, всё ещё держа меня в воздухе; руки у них тоже были веснушчатыми. — О, у тебя и мыло с собой, и мочало. Вот и помоешься заодно.

В сущности, прикинул я, терять мне было нечего: забирать космонавта точно не сегодня, работы у меня нет, денег тоже. Но сегодня я больше ни рубля не истрачу, потому что меня будут кормить и поить.

И нет сил тому сопротивляться.

Дальше всё завертелось как на карусели, которую эти три Ивана раскачали и закрутили: выяснилось, что они заполучили право на постройку чего-то многоэтажного, с цоколями и витражами, посреди города — заодно им хотелось похвастаться мне своими веснушчатыми победами, так что ящик снеди, ящик пива и ящик водки — всё это пошло за их счёт, нам в подарок они купили набор сосок, одну из которых тут же повесили мне на шею, на верёвочке; я не сопротивлялся, это ж они от радости.

Деньги у них, видел я, тоже были общие — в тот миг я ещё подумал про себя: дай-то бог, чтоб всё это продлилось в каждой отдельно взятой ивановской жизни как можно дольше.

Машину они мне приказали — уже почувствовав себя в своём весёлом праве — оставить здесь: хорошая ж стоянка, — до твоего дома близко, сказали, — заберёшь завтра с утра, сказали, — тут никто не тронет, охрана ж наблюдает.

Я не без удовольствия соглашался, да и противостоять этому веснушчатому напору было невозможно.

Попутно выяснилось, отчего они так настаивали, чтоб я не катал туда-сюда усталую "шестёрку" — им же надо было показать свой броневик, весь хромированный, в каких-то гербах и железных нашлёпках — Иванам не хватало только золотого самовара посредине задних сидений, с выносом трубы на крышу.

По дороге я вспомнил, что в минуту злой печали хотел попросить трёх Иванов помочь разыскать мне Фёдора — но сразу же раздумал: во-первых, я не люблю впутывать в свои дела посторонних людей, во-вторых, тормошить за две купюры таких крупных мужиков показалось мне стыдным — и, в сущности, я был прав.

На причале мы — ну как сказать мы, — они, — сняли самую большую лодку. Через минуту лодка отчалила, через две мы уже выпили: за первенца.

Второй тост был — за дальний путь к другому берегу.

Наре́зали каждому по батону колбасы, по кругу сыра, по буханке хлеба, и даже помидоры они закупили самые щекастые: одним таким овощем отобедать можно.

Когда оказались у другого берега, я уже был настолько хорош — что хоть самого в космос выпускай без поводка: не огорчусь и не растеряюсь.

Вскоре братья, чего раньше за мной не водилось, начали в моём сознании путаться: вроде с одним разговариваю, но вот вместо него уже новый, хотя веснушки те же и тот же поморский прищур — благо, хоть все они были на одно имя, так сразу не опозоришься.

Они, впрочем, пьянели совсем мало, видно было, что привыкли и к не таким объёмам, и то один из них, то другой ловили меня на путанице в разговоре:

— Ай, да ты наврал тут. Это ж не со мной было тогда.

— А с кем?

— А с Иваном, — отвечал без улыбки мой собеседник, не кивая при этом ни влево, на другого Ивана, ни вправо — на третьего.

Я ничего не соображал уже, только поправлял тугую бабочку.

Переодеваться можно было прямо — как это называется? — в рубке, братья поскидывали свои шорты, они все были в шортах, и голые оказались совсем одинаковые, как окорока: мясные спины, начавшие борзеть тугие белые животы, веснушки на плечах.

Я аккуратно сложил свой костюм, сверху украсил, ну да, чёрной бабочкой.

До сегодняшнего дня я был уверен, что она сама по себе сидит на шее, безо всяких там застёжек. А сколько ещё можно открытий совершить в жизни.

Братья обрядились в отличные плавки, плотно сидевшие на их обширных поморских задницах. Я же был в трусах по колено, а чего мне.

Куда эти трусы вскоре подевались, я не помню, но, кажется, пропали они после очередного прыжка с кормы.

Ныряли мы так: прямо у борта расставили стаканы, и, выпивая по пятьдесят, слушали команду одного из Иванов:

— Нырок на сорок градусов!

...следом выпивали по сто, и другой Иван кричал:

— Нырок на восемьдесят градусов!

Потом разливали сразу по сто пятьдесят, и третий Иван оглашал какую-то новую геометрическую линию, согласно которой мы должны были вонзиться в реку.

Все эти то сорок, то восемьдесят, то сто сорок градусов каждый понимал как умел.

Все хохотали, и особенно смешно было, когда я залез, отплёвываясь, в лодку без трусов.

Пришлось наскоро обтереться и вернуть своё тело в костюм.

— Девок на пляже найдём или привезём с того берега? — спросил, спустя час или два, Иван у Ивана.

— А с того берега закажем, — ответил третий.

Временно мы переместились на бережок, с пивком и сырком.

Лодка умчала, но ненадолго.

Любая осмысленная речь в тот час прекратилась — мы только вскрикивали и смеялись — до такой, признаюсь, степени, что вокруг нас образовался полукруг метров в пятьдесят: никто из отдыхавших на пляже не желал такого соседства.

Когда наша лодка показалась на горизонте, оживление веснушчатых Иванов приобрело вид гомерический: тут же выяснилось, что как минимум один из них может ходить на руках, хоть и недолго, а другой нырять дельфином и пускать струю из-под воды.

Сколько там, в лодке, оказалось девок, я не вспомню. Девичьи лица я бы не угадал, даже если б мне их предъявили всего через час.

Я ещё выпил, не помню на сколько градусов, но на куда большее количество, чем требовалось, и, закурив, осознал, что в такой компании не имею права праздновать прилёт космонавта на поводке — чересчур.

“Это чересчур, это чересчур”, — крутилась в моей голове фраза, отчего-то казавшаяся круглой.

Пацан заслужил нормального отца.

Пацан теперь имеет на меня право.

— А ты, тварь, не имеешь, — сказал я вслух и кого-то ссадил с коленей.

...томительно долго искал мочалку и зонтик. Лодка оказалась словно трёхпалубной, убегая от одного Ивана со стаканом, я тут же попадал на другого со стаканом, а затем на третьего, и девки при них, на них и под ними были одинаковые: губы, губы, губы, иногда серьга, иногда бюстгальтер, который один из Иванов, проходя туда и обратно за снедью или за водкой, походя, ловким и вовсе не пьяным движеньем, развязывал или расстёгивал.

Иные девчонки принимались бюстгальтеры завязывать, ловко закидывая руки назад, а одна, самая богатая на размер, так и осталась стоять, будто не заметив.

Не всё Иванам гордиться броневиком, есть и другие достоинства на земле, — в тяжёлом томлении подумал я тогда.

Вечерело, и эта белая грудь расцвела в полутьме: хоть гляди на неё с другого берега и вой.

Я тряхнул головой и пошёл прочь, не оглядываясь, мочалка была при мне, зонт здесь же, сигареты... да, и сигареты тут. Чего ж надо ещё, да ничего не надо уже.

Мне кричали с лодки, чей-то мужской голос, я отмахнулся: идите нахер, веснушчатые мои, нахер идите.

Если б я долго и уверенно двигался в нужную сторону по берегу — то добрался бы до моста и перешёл по нему назад в город. Но я так устал, что спустя минуту, или час, или два, прилёг где-то в кустах.

Меж гибких ветвей показалась первая звёздочка.

Я затянулся и выдохнул в её сторону длинный дымок: лови.

* * *

Кажется, на меня смотрела та же самая звёздочка. Она была первой вчера, и она оказалось последней сегодня, самой любопытствующей ко мне.

Было очень холодно.

Некоторое время я смотрел на звёздочку сквозь утреннюю дымку.

Осознание того, что всё ужасно и непоправимо, уже зародилось во мне и жило отдельной, мстительной жизнью, как болезнь.

Я не хотел верить ни во что, кроме блёклой звёздочки на небе.

Но тело невозможно было обмануть, тело подтверждало все мои чудовищные предчувствия.

Я был совершенно гол, да.

Меня раздели во сне.

Я никогда не допивался до такой степени.

Подобное случилось впервые.

Я сел и огляделся.

Ни мочалки, ни зонтика. Ни погремушки.

А то я бы погремел в кустах — запоздалой звёздочке вослед.

Они сняли с меня штиблеты.

Они сняли с меня костюм, бабочку, рубашку.

Трусов на мне и так не было.

Я зарычал: не от злобы, а от неприязни к себе. От невозможного, самого большого в жизни стыда, раздиравшего меня.

Лучше бы тогда, — когда я опился лимонада в седьмом классе на переменке, а упрямый учитель по географии всё не разрешал мне выйти с урока, и, вопреки его отказу, я едва успел выбежать из кабинета, — лучше бы тогда я надул на бегу перед всем классом в штаны, чтоб отличница с первого ряда, в которую я был влюблён, увидела это.

Подумаешь!

Лучше б судья не смилостивился надо мной, а влепил мне "трёшку" — и вместо того, чтоб сидеть сейчас на берегу нагим и безобразным, я сидел бы на шконке, честный и порядочный заключённый.

Делов-то!

Лучше б в тот вечер, когда меня пытались избить в подъезде четыре накуренных малолетки, я не разбил их в прах и пух, так как за моим плечом, а если точнее — за дверью нашей квартирки, стояла напуганная беременная жена, — но, напротив, они бы меня разбили на кривые мелкие куски и отлили бы на меня поочерёдно в знак победного восторга: я бы вытерпел, пережил, а жена пожалела бы, отмыла бы.

Любая беда, приключившаяся со мной в прошлом, казалась мне теперь стократно лучше и добрее этого невозможного позора.

"Рыбак!" — вдруг осенило меня.

Это слово возникло как радуга.

Ведь кто-то должен по утрам на прекрасной русской реке ловить рыбу.

Хотя бы один рыбак!

Вчера ж я весь день говорил, шутил и ликовал по поводу пескарей и космонавтов: на космонавта надеяться не стоило, но рыбак вполне мог оказаться реальным.

Я вскочил, что-то коснулось моей груди — словно крупное насекомое летело и вдруг ударилось о телесную преграду.

В испуге хлопнул себя где-то под шеей, чтоб сразу убить гадкое ядовитое существо, но вместо этого обнаружил единственное из оставшегося на мне: соску.

Вчера мне подарили соску.

Первым желанием было сорвать и выбросить её, и я даже попытался сделать это, но верёвочка оказалась крепкой, только шею ободрал.

Я побежал себе вдоль берега с этой соской на груди.

...доброе утро, отец. Куда ты так спешишь?..

Увы, рыбаков не было видно, но потерянную надежду тут же сменила новая: а может быть, кто-то оставил на пляже штаны?

И все проблемы тогда сразу разрешатся! Я просто пойду домой, и всё!

Хотя нет, штаны — это слишком щедро. Хотя бы женское бельё. Мне вовсе не показалось бы зазорным нарядиться в женское бельё: мало ли откуда я иду и кто мои друзья.

Но не голым же, не голым идти!

Или, или, лама савафхани.

Меня бил озноб.

Сегодня было прохладнее, чем вчера.

Здесь нельзя остаться и жить, понимал я.

Я не могу дожидаться в кустах первых отдыхающих.

А если случится дождь, и никто не придёт? Целый день проведу здесь? Два? Три?

Пока сюда не приедут люди с огромной сеткой, чтобы поймать меня и отвезти в лечебницу.

Кустарник, в котором я спал, не годился для того, чтоб связать из него хоть какое-то подобие одежды, а деревьев на пляже не росло.

Наконец, совершая знобкую прогулку, я нашёл литровую банку.

Даже поднял её: хоть что-то, вдруг пригодится.

В банку возможно было поместить только малую — а на утреннем ветру особенно малую — часть себя, — но что дальше?

Так и двигаться по городу — с банкой, которую держу двумя руками, словно поймал золотую рыбку и не хочу, чтоб она задохнулась?

“Что это у тебя, парень?” — спросит встретившийся на пути участковый.

“Баночка”.

“А на груди?”

“На груди? А, да. Сосочка”.

“Баночка и сосочка? Отличный набор. Ты хорошо подготовился в дальний путь, парень. Подвезти?”

“Спасибо, майор. Я сам”.

“Ну, давай, сынок. Береги рыбку”.

Я бросил банку куда-то в кусты и почувствовал, что плачу.

Но, обежав, путаясь в ногах и рыча от бешенства, песчаную косу, я в один миг понял, что мой ангел всё-таки не покинул меня.

Ангел всего лишь испытывал крепость моего духа.

Может быть, он высоко оценил мой вчерашний поступок: когда я столкнул девку с коленей. А она ведь, ангел мой, была такая мягкая и непоседливая.

Или, возможно, он запомнил, как решительно я оставил это судно порока и пьянства — и пошёл своей дорогой, а на зов с борта даже не обернулся.

Или допускаю, что ангела, отправляющегося в далёкий путь, попросил за меня один новорождённый космонавт: слушай, — сказал он, — там завтра мой отец будет гулять голый по пляжу и плакать, — подбери его?

...короче, неподалёку от берега в лодке скучал рыбак.

Удило его красиво изгибалось на фоне утреннего тумана.

Я кинулся к нему по воде, крича и размахивая руками.

— Брат! — кричал я, что твой Робинзон. — Брат! Плыви ко мне! Вот так удача! Брат!

Рыбок оглянулся, а дальше всё случилось быстрее, чем мне хотелось бы.

Он рванул шнур мотора, лодка взревела, и минуту спустя была уже настолько далеко, что мой призывный вопль терялся на ветру и едва ли достигал слуха рыбака.

— Чтоб тебя перевернуло, сволочь! — орал я, и сжимал соску в руке. — Чтоб твою посуду коряга разломила надвое!

Только теперь я понял, как ошибался.

Ангелов не бывает.

А ведь можно было бы нырнуть, зацепиться чем-нибудь за крючок — рыбак потянул бы удило и вытащил меня сам.

В лодке мы бы разобрались, кто кого съест.

...на песчаном, отсыревшем за ночь, грязном и неприютном берегу, по дороге к мосту, я обнаружил автомобильную покрышку, чуть обгоревшую, но ещё способную сослужить последнюю службу человеку.

Другого способа одеться у меня не было: я нёс её, придерживая наподобие платья.

Она почти скрывала всё то, что должна была скрыть.

Надо было попасть в город как можно раньше — до первых трамваев, или хотя бы с первым — может, меня подсадят на него.

"Хотя вряд ли..." — думал я, время от времени оглядываясь с ненавистью на рыбака.

Сейчас было, допустим, половина пятого, у меня оставалось полчаса или час, чтобы успеть до утренней сутолоки и суматохи, в которой я оказался бы заметен чуть больше, чем того хотел.

Руки уставали, мост был ещё далеко.

Скоро я очень утомился.

Время от времени я снова начинал плакать, но слёзы вытереть было невозможно, поэтому я прекратил этим заниматься и просто сквернословил: громко, тупо, однообразно.

Я оскорблял песок, мост, рыбака, его удочку, его лодку, реку, рыб, птиц, снова мост, свою покрышку, вчерашних девок, трёх Иванов, неизвестных грабителей. Себя, наконец. Себя особенно честно и страстно.

Когда я взобрался на мост, машин уже было много.

Голосовать я не мог — одной рукой покрышку не удержишь.

Попробовал выйти на дорогу, но никому это не понравилось: сигналили так страшно, что я вернулся на тротуар.

Иногда в мою сторону кричали из окон машин унизительные и неприятные слова.

Я плевался и что-то выкрикивал в ответ.

Всё это скоро надоело мне.

На машине мост проезжаешь на минуту-другую-третью. Но мой утренний переход через мост занял полчаса или даже больше.

Ноги саднило.

Иногда я прислонялся спиной к ограде моста и отдыхал.

Если из машин кто-то показывал мне знаками, что я больной, у меня появлялась секундная возможность тоже что-нибудь ответить им посредством жестикуляции, только очень быстро — надо было успеть перехватить свою сползающую покрышку.

Когда я перешёл почти бесконечный мост и увидел трамвайную остановку, там уже стояли люди. Их было много.

Никогда я не догадывался, что состояние бесстыдства и отупения достигается человеком так скоро. В сущности, это одно и то же состояние, осознал я.

Подходя к остановке, я уже решил наверняка, что отныне мне совсем не стыдно будет рыться в мусорных баках, нищенствовать, кривляться, лаять по-собачьи, юродствовать.

Люди смотрели на меня.

Я спокойно встал с краю остановки: мне было всё равно.

Никто не говорил ни слова и не смеялся.

“Главное, — думал я, — чтоб на входе в трамвай покрышка не застряла. Иначе...”

До моего дома оставалось, по самым здравым прикидкам, часа полтора хода.

Весь город уже будет на ногах.

Только трамвай, только трамвай.

Трамвай никак не появлялся. По утрам они ходят нечасто.

— С пляжа? — спросил меня кто-то.

— С пляжа, — ответил я.

Мимо проехал милицейский "уазик", но скоро затормозил и на большой скорости сдал назад, остановившись ровно напротив меня.

Из задней двери выпал молодой милиционер.

— Руки вверх! — скомандовал он и направил мне в грудь автомат.

— Я не могу, — сказал я печально.

— Руки вверх! — повторил он злобно и щёлкнул предохранителем, а следом передёрнул затвор.

Выждав мгновение, я расслабил пальцы. Покрышка упала.

Он сам этого желал.

* * *

Меня не били — а за что?

Я был трезв и всё объяснил.

Ночная смена лениво сдавала оружие, и даже смеяться надо мной им было лень.

Утренняя смена вышла на работу в обычном для милиции утреннем раздражении: этим тоже было совсем не смешно, да и возиться со мной не хотелось.

— Родственники есть у тебя? — спросил дежурный отдела.

— Есть, — твёрдо сказал я.

— Кто?

— Сын.

— Возраст?

— Один день.

Дежурный медленно выдохнул, но сдержался и ничего не сказал, хотя мог.

— А ещё?

— Да. Жена.

— В роддоме? — догадался он, и даже, вроде бы, улыбнулся: что-то такое мелькнуло в его лице. — Какой роддом? Номер?

…моя любимая приехала очень скоро, через час, на такси.

Меня вызвали из камеры и выпихнули на улицу.

Я встретил её на пороге отделения в старой простынке, как в пелёнке, и с уже привычной мне соской на груди.

В руках жена держала кулёк с младенцем.

— Смотри, малыш, это наш папа, — сказала моя любимая. — Он будет заботиться о тебе.

Она сказала это совершенно серьёзно.

СПИЧКИ И ТАБАК, И ВСЁ ТАКОЕ

Б.Р.

У перил стоял мальчик, следил за пустотой и ненастьем.

Жека Павленко нашёл меня возле памятника Чкалову.

Здесь, на возвышении, возле кремлёвской башни, с видом на слияние Волги и Оки, даже в июльскую жару бывало прохладно, а в начале мая… В начале мая знобящий ветер дул отовсюду и будто ликовал от своей вседозволенности. Девушки в свободных платьях сюда даже не подходили. Шляпы с полями невозвратно улетали на тот берег. Вид самой воды вызывал предчувствие простуды, гриппа, ОРЗ.

Но Павленко — как только его не забрали в участок, — был в нелепой и слишком свободной накидке; я попытался, пока он подходил, разобрать, что́ это на нём, и первое, самое нелепое предположение оказалось верным: Жека напялил на себя плотную, не очень длинную штору, сделав каким-то относительно острым предметом отверстие для головы.

Хорошо ещё, штора была одноцветная: зелёная.

Он ловко перепоясался не разбери чем, но, тем не менее, руки его были голы до плеч, и мало того, с обоих боков просматривалось тонкое, сильное, с несколькими наколками и с несколькими шрамами белое тело.

Ему было не холодно и, кажется, весело.

Я сморгнул и закрыл, наконец, рот.

— Жека, это что? — спросил я негромко и озираясь: жандармерия уже должна была лететь к нему наперегонки.

— Что́ это, что́ это, — передразнил с деланным неудовольствием Павленко. — То́ это, — и он больно ткнул меня пальцем в грудь. — Тепло тебе? На тебе мой свитер!

Павленко приехал вчера в Нижний из своего Питера, домой к себе я его не мог позвать: мы жили с женой, маленьким сыном и тёщей в крайне ограниченном пространстве — спать товарищ смог бы у нас только стоя в углу; поэтому я снял ему номер в самом дешёвом отеле, конечно же, на свои деньги — у Павленко их не было; и, кстати, оформил ночёвку на своё имя — паспорт у него тоже отсутствовал.

Вечером мы естественным образом напились — разложив в его номере на кровати несколько яблок и кусок сыра. В комнате было душно, курили не переставая — так что под вторую бутылку водки мы оба, по-братски, разделись до пояса, и, в общем, когда за полночь пришло время расставания — я случайно натянул свитер Павленко: у меня был такой же, военного образца, чёрный, с горлом, поношенный, но дома.

Очнувшись утром, приехавший в одном свитере на голое тело и не имевший никаких сменных вещей вовсе, Павленко понял, что ситуация хоть и не трагична, но и не проста: моего телефона у него не было, потому что никто из нас телефонов в те времена не имел, и даже адреса моего он не знал.

К тому же, номер надо было оставлять: отчего-то я думал, что снял комнату в отеле до 12, но оказалось — до 9 утра.

— Давай раздевайся, — велел мне Павленко у памятника Чкалову.

Поделиться одеждой, к тому же не своей, было в моих возможностях: я пришёл в куртке, а под свитером у меня была чёрная безрукавка.

Мы отошли поближе к стенам нижегородского кремля.

На нас косились, но мы быстро совершили задуманное. Я остался в майке и в куртке, Павленко обрядился в свитер, который ему очень шёл. Штору свою он выбрасывать не стал, но накинул её на плечи.

— Пончо, — сказал он. — Полезная вещь.

Я, наконец, засмеялся. Это было смешно.

— Как ты меня нашёл? — спросил я сквозь смех.

— Кто тебе сказал, что я тебя искал? — сказал Павленко в своей необидной, вполне дружеской, смешливой манере.

Голос у него был самоуверенный, пацанский, высокий, чуть скрипучий, лицо казалось бы интеллигентным — тонкие губы, тонкий, прямой нос, удлинённый череп, — когда б не наглые его повадки, и дерзкий взгляд, и бритая наголо голова.

— Тебя там эта тётка на ресепшен — не заметила? — поинтересовался я.

— Заметила, — сказал Павленко серьёзно, глядя на меня своими светло-голубыми глазами. — Но, думаешь, было бы лучше, если б я отправился на улицу голый?

— Так она поняла, что ты штору надел? — допытывался я.

— Откуда я знаю, — отмахнулся Павленко. — Она, знаешь, откинулась на спинку стула и смотрела на меня, вся… очарованная. Я поздоровался, а она нет. Провинция, словом.

Мы ещё немножко посмеялись.

— И что ты здесь делаешь? — спросил Павленко, щурясь на воду, порт и храм Александра Невского. — В такую рань?

Чуть растерявшись, я пожал плечами:

— Шёл к тебе.

— Ты же не шёл, ты стоял, — заметил Павленко.

— Я тут с ребёнком гуляю, — ответил я несколько, как сам сразу понял, невпопад.

— И где ребёнок? — спросил, продолжая потешаться, Павленко, то оглядывая меня со всех сторон, то озираясь по сторонам. — “Ой, дома забыл”? Или в автобусе?

— Что ты пристал, Павленко, — в шутку рассердился я, — мало ли что делаю. Смотрю… Стихи читаю. Я часто сюда прихожу.

Павленко вскинул умные глаза и совершенно серьёзно кивнул головой: ответ его неожиданно удовлетворил.

— Есть курить? — спросил он.

Из протянутой пачки Павленко извлёк сразу две штуки и одну засунул за ухо.

— А спички?

Я дал коробок.

Павленко потряс его: проверил на слух, есть ли там что.

— Что за книжка у тебя в кармане? — поинтересовался он.

— Так стихи ж, говорю, — ответил я и добавил речитативом: — "...А в походной сумке спички и табак, Тихонов, Сельвинский, Пастернак".

— Что, правда?

— Ну... Не совсем. А в походной сумке план такой — Гумилёв, Есенин, Лу-го-вской.

Павленко ещё раз кивнул. Видимо, компания убитого, самоубившегося и серьёзно обломавшегося на своём жизненном пути русского поэта его удовлетворила.

— Как жить без курева и денег, в одном лишь пончо на ветру, — процитировал он неведомо кого, и без перерыва поставил строгий вопрос: — Кормить будешь меня?

* * *

— Значит, нет? — спросил Жека в кафе, помешивая пельмени в горшочке и не глядя на то, как я разливаю беленькую.

Пончо висело на стуле. Конь здесь оказался бы вполне уместен.

Павленко был питерский нацбол со стажем, фигурант как минимум восьми уголовных дел по разнообразному злостному оппозиционному хулиганству, яростный "левак", безусловный русский империалист, и посему в государственных понятиях того времени — гулёбщик, негодяй.

Читатель русской поэзии, Юнгера, Селина, "Путешествие на край ночи" было любимой его книжкой, я знал.

Он был воцерковлён, соблюдал все посты, когда-то успел выучить французский язык и зарабатывал на жизнь, обучая французов, зачем-то приехавших в Питер, русскому.

Мы расположились в одной из кремлёвских башен, двухэтажное кафе так и называлось — "Башня", место нам нашлось на втором.

Кафе изнутри было каменным, стены — красный булыжник, и оттого здесь всегда царила подвальная прохлада: летом в такой обстановке хорошо, весной не очень. Но мёрз из нас двоих только я. Жеке было привычно жарко.

— Нет, Жек. Я год назад снял форму и больше не стреляю. И оружия у меня нет. Поэтому оружия я не дам, и заниматься его поисками тоже не стану.

Жека кивнул безо всякой обиды.

— А мы думали, ты привёз с чеченской, — просто сказал он.

Я промолчал. Я уже говорил ему, что не привёз.

— Где будет новая война? — спросил я, чтоб не обсуждать всё это позже в нетрезвом виде.

— Везде будет, — сказал Павленко, улыбаясь. — В Казахстане, на Украине, в Прибалтике. Здесь.

— Это понятно. Но всё это когда-нибудь после. А в ближайший раз?

Павленко пожал плечами, как будто не знал. На самом деле, конечно, знал.

Подняв рюмку, он по слогам повторил первый из предложенных им вариантов.

Впервые я обратил внимание, что слово "Казахстан", произнесённое без звука, напоминает три вздоха рыбы. Или три вздоха пловца, который собирается нырнуть очень глубоко.

Жека и наши сотоварищи нацболы готовились повоевать на севере соседней азиатской республики.

Они находили, что там их ждут многочисленные, потерявшие в правах, русские люди, и поддержат.

Затея казалась мне замечательной — вроде прыжка со скалы; но прыгать на этот раз я не хотел, и даже не собирался этого скрывать.

В 25 лет для меня потеряла привлекательность перспектива ранней смерти. Ощущение это, ещё совсем недавно мне не слишком свойственное, пришло неожиданно, словно у меня заработала какая-то новая часть сознания, до тех пор не игравшая никакой роли и спящая.

Жеке, похоже, было безразлично происходящее со мной: возможно, он считал, что я имею право не заниматься тем, чем он хочет заняться, раз я достаточно долго занимался этим совсем недавно, а он ещё никогда.

— "...А в походной сумке... спички и табак..." Как там? — переспросил Павленко, протягивая руку с зажатой меж большим, указательным и средним рюмкой.

Лицо его лучилось. Зубы у него были хоть и не очень мелкие, но частые. Рот — наверное, из-за впалых каторжанских щёк, — казался крупным.

— А в походной сумке... где-то там... Маяковский, Хлебников, Мандельштам... — закончил я.

Мы чокнулись, синхронно закинули головы и забыли обо всём этом.

Я, когда проглотил водку, зажмурился. Павленко, наоборот, раскрыл глаза.

Глаза его были в красных прожилках: много алкоголя, мало сна.

Я подумал, что у меня то же самое с глазами. И чёрт бы с ним, пройдёт — жизнь огромна; по крайней мере, моя.

Я быстро и с удовольствием ел пельмени.

Мы выпили по второй, и сразу же по третьей, словно догоняя кого-то. Тем более что рюмки были непривычно маленькие.

— Зачем тебе так много стихов? — спросил Павленко, медленно пережёвывая чёрный хлеб.

На кухне кто-то уронил пустой поднос.

— Я знаю, зачем они мне́, и вот спрашиваю у тебя, — повторил Павленко, потому что мы оба забыли, что я ответил.

— А что ещё... — неопределённо говорил я. — А чем ещё...

Отодвинув нелепые рюмки и разлив в гранёные, предоставленные под воду, стаканы, — мы нырнули — и вынырнули с той стороны радуги.

— ...всякий новый поэт растёт изнутри поэзии, он где-то там, в глубине, насыщается, наполняется, а потом — если хочешь на него взглянуть — его можно выловить, — объяснял я Жеке. — Одна строчка Державина, одна строчка Анненского, одна строчка Блока — это как вытаскивать сеть, — ещё строчку Слуцкого, и вот он уже — показался, этот новый, долгожданный стихослагатель: торчит на поверхности своей беспутной головой. Бьёт хвостом. Ты найдёшь его по следу на воде... России обязательно нужен один поэт. Один святой, один вождь. Нужен.

Павленко соглашался.

— И ещё оружие, — говорил он. — Ещё нужно много оружия. Десять стволов как минимум.

Под воздействием алкоголя он покрывался даже не пятнами, а красными полосами — как будто, к примеру, спал на досках; или злая женщина несколько раз ударила его перчаткой, а он при этом смеялся.

Покинув “Башню”, оставив по бедности на чай только медь, мы вышли к автобусной остановке и сели на первый попавшийся автобус: я решил показать Жеке набережную, воду, вид на нижегородский кремль снизу.

Вместе с нами в автобус забралась примерно в той же степени, что и мы, поддатая мужицкая компания: трое парней, расхристанно одетых — какие-то куртки из кожезаменителя, дешёвые свитера, грязная обувь.

Я обратил внимание на одного из них: моего возраста или чуть старше меня, чуть ниже ростом; со шрамом, дугой — от носа и вниз, на левой щеке. Глаза его имели необычный — сиреневый — цвет. Кепку он сдвинул на затылок, из-под кепки выбивались рыжеватые мягкие волосы. Куртка на нём была расстёгнута. В руке он держал початую бутылку пива.

Тип был улыбчив и, наверное, при определённых обстоятельствах опасен.

Мы с Жекой встали в конец салона.

Двое из компании, в том числе и этот, со шрамом, рыжий, уселись на ближайшие сиденья. Третий стоял к нам спиной и что-то, нескладно жестикулируя, рассказывал. Иногда его вело в сторону, и тогда парень с рыжиной, не глядя, ловил товарища за куртку и выравнивал.

— Подлянка какая… Правда?! — переспрашивал он, улыбаясь, рассказчика, и время от времени быстро поглядывал на нас.

Я решил для себя, что он ищет повод поссориться.

Ещё до того, как мне пришло в голову похлопать по левому карману, проверяя, на месте ли кастет, я вспомнил, что выложил его дома: может, за Павленко уже ходят спецслужбы — зачем же мне ловиться с этой штукой. В кармане у меня лежала только книжка со стихами. Из кармана виднелась часть корешка.

Когда рыжий улыбался — его, через щёку, шрам создавал странное ощущение: словно улыбка змеилась и двигалась по лицу. Или это сказывалось моё опьянение.

Иногда он отрывисто, очень уверенно, но, пожалуй, не вызывающе смеялся в голос: не столько, казалось, рассказам собеседника, сколько своему алкогольному возбуждению.

Я поймал себя на том, что всякий раз отворачиваюсь, боясь убедиться, что он смеётся надо мной или над нами, хотя это было не так.

Но вообще ситуация не слишком тревожила меня: спутники парня со шрамом — тот, что шатался, пытаясь устоять на ногах, и тот, что, устав слушать стоящего, положил голову на стекло, безуспешно пробуя впасть в дремоту, — оба показались мне не столь годными к противостоянию, как этот, рыжий.

Павленко вообще на них не смотрел, а красочно, чуть громче, чем следовало в автобусе, рассказывал очередную историю своих злоключений: все его уголовные дела оказывались на удивление весёлыми — во-первых, оттого, что он их крайне остроумно преподносил, во-вторых, потому, что его никак не могли посадить за решётку, хотя давно должны были.

К примеру, Павленко потешно, с применением всяких нелепых подручных средств, вроде пластиковых бутылок и ящиков из-под пива, дрался с милицией, а потом, убегая, забрался так высоко на дерево, что его не смогли оттуда снять: служивые прождали три часа и в итоге ушли, поленившись вызывать пожарную машину; он писал на стенах администраций антиправительственные лозунги — краской, огромными, размашистыми буквами, всегда в рифму, причём не глагольную, а составную; он закидывал помидорами крупного натовского чиновника, заехавшего в Россию, и снова убегал — и хотя следствие располагало парой сотен его фотографий, попавших во все мировые СМИ, его всё равно так и не повязали; он, на какой-то сумбурной встрече, подошёл к первому президенту страны, белёсому, гундосому чудищу, и сказал ему, прямо в лицо, негромко, словно соседу в подъезде: "Я тебя, сука, урою — поэтому заройся сам побыстрее, понял?"

На остановке мы с Жекой не то, чтоб вышли, а будто выкатились, позвякивая крепкими железными костями.

Трое из автобуса выпрыгнули вослед нам.

Здесь, возле набережной, было ветренее, чем внутри кремлёвских стен, и Павленко изящно расправил своё пончо, закутываясь.

— Ха! Смотри, парняга какую модную скатерть принарядил! — крикнул кто-то из троих, вроде бы тот, что всю дорогу стоял к нам спиною.

Жека резко развернулся — те находились метрах в десяти от нас: отстали, потому что прикуривали, а то бы сразу кто-нибудь из них поймал в лоб, скорей всего, самый ближний.

— Кто сказал? — спросил Павленко громко, и сразу шагнул к этой тройке.

Мы стояли возле проезжей части; я наскоро вообразил, как сейчас пять человек, и я один из них, начнут прыгать туда-сюда, топтать по лужам, мешать проезду всех и вся. Нас будут неприязненно разглядывать пассажиры общественного транспорта, нам будут раздражённо сигналить водители личных автомашин. Всё это представлялось мне вполне задорным, но несколько неопрятным.

Выбора, впрочем, не было, или, вернее, мы себе его не предлагали.

Нахамил — хоть и вполне умеренно — действительно тот, кто выступал в автобусе рассказчиком, сейчас он отчего-то смотрел на рыжеватого, а тот смотрел на нас. Шрам его стал ярким, бордовым — при сиреневых глазах, рыжая башка его выглядела как опасная ёлочная игрушка в кепарике.

В глазах рыжего не было ни удивления, ни страха, ни зла — пожалуй, только интерес. Он не собирался сдавать ни на шаг, но странным образом не стремился обострить происходящее.

Кулаки он не сжимал — но обманчивая расслабленность его рук выдавала как раз стремительную готовность разом сбить пальцы в подобие свинчатки и со змеиной скоростью выбить кому-то голубой, мальчишеский глаз.

“Нос-то у него боксёрский, вдавленный”, — слишком поздно заметил я.

Сейчас Павленко ударит самого говорливого, понял я, а потом рыжий ударит Павленко.

Мне надо было метиться в рыжего, но скорый пересчёт шансов, произведённый на этот раз мною, складывался уже не в нашу пользу.

Рыжий нисколько не был похож на человека, которого я собью с ног.

Вмешались непреодолимые обстоятельства — возле нас с неприятным звуком затормозил милицейский ГАЗик: намётанным взглядом служивые определили стремительные перспективы едва начавшегося между молодыми людьми разговора.

Я поймал Павленко за свитер и поволок назад: сначала он с явным неудовольствием попытался вырваться, но потом увидел стражей правопорядка, и сразу разулыбался, и устремился куда-то во дворы едва ли не скорей меня.

— Нахрен все разбежались! — скомандовал милиционер с переднего сиденья.

Оглянувшись, я увидел его усатое лицо, и обвисшие щёки, и погон с тремя куцыми звёздочками старшего прапорщика.

"Толстый, к тому же старший прапорщик — служит не просто давно, а очень давно: значит, не просто борзый, но и очень ленивый, и за нами точно не побежит, тем более что и причины нас догонять нет", — мельком подумал я, видя, как рыжий в ответ на слова милиционера нагло отдал ему честь, поднеся два пальца к виску.

Когда милицейская машина тронулась, рыжий вытянул руку и, с тех же двух пальцев, изобразил выстрел вслед:

— Пам! Пам!

Он был понторез, конечно, но крайне симпатичный. Мне пришлось это признать.

* * *

— Ты замечал, что, если долго думаешь о чём-то, как сумасшедший, повторяешь это про себя и вслух — всё… не то чтоб сбывается — а приходит к тебе? Неизбежно? — спрашивал я.

Мы не пошли к набережной, а, через полсотни метров, нахлебавшись ветром, тут же завернули в самую дешёвую забегаловку.

“Чай и двести коньяка”.

— За тобой! — смеялся Павленко. — Приходит не к тебе, а за тобой! Ты хочешь сказать, что я думаю о ментах?

Он откидывался на стуле и, щурясь, смотрел на меня откуда-то издалека, словно, например, с дерева.

Моё опьянение стремительно достигло наивысшей точки — будто меня наполняли, наполняли, наполняли сквозняками, кипятком, брагой, смехом, стихами, разговорами, отзвуками и отблесками, и, наконец, наполнили: милицейская машина и машина “Скорой помощи” беззвучно крутили мигалками, и безупречная темноволосая девушка в чёрной юбке медленно танцевала, под её блузкой и под юбкой её угадывалась, да, угадывалась такая счастливая, такая мучительная, но всё равно счастливая моя жизнь, а потом вдруг я шагнул из мерцающего круга, и появился бритый человек, кажется, почти пацан, либо навек моложавый мужик, с таким знакомым располосованным затылком: он лежал навзничь на земле — куда упал, словно ныряя, но не смог уйти под воду, и остался с этой стороны тверди, убитый многочисленными миномётными осколками, и один из осколков угодил в книжку на груди, которая его не спасла; а потом и рыжий парень встал передо мною, даже не ясно, откуда я догадался, что он рыжий, не по ботинкам же, тем более что он был босой, даже без носок, и мне отчего-то стало ужасно жалко его ноги, как будто это были самые родные мне ноги, даже не брата, а сына, поначалу я не понял, почему я вижу его ступни, его колени, неужели он такой высокий, а потом догадался, что он стоит на табурете передо мной: босой и на табурете, — “Зачем же он стоит на табурете?” — подумал я, но он толкнулся ногой — и поплыл, качаясь на волне.

...мотив ему был слышен близко, и еле-еле слышен мне...

Загрохотал табурет — рядом уселся Жека, вернувшийся из туалета, — сырые руки, сырой лоб, — завидно трезвый, только лицо в красных полосах.

— Ещё что-нибудь возьмём? — спросил Павленко.

— У меня больше нет денег, — медленно сказал я, словно меня отключили от электричества и зарядка заканчивалась. Ещё несколько слов — и до свидания всем.

Время вы́резали большими ножницами, совершая столь необходимый мне монтаж, и мы сразу оказались на улице.

Жека был бодр, но пончо за собой нарочно и вызывающе волочил, как солдат знамя с поля боя, где он всех победил и всё ему надоело.

Я решил вернуться в кремль: мы так ничего и не посмотрели, а стоило бы, наверное. Кремль стоял на холме, мы шли вверх по битому асфальту.

Подниматься мне было тягостно — никакой радости, только полные лёгкие сырого сквозняка.

Зато Жека был рад и кричал иногда, воздевая руки:

— Мы всё ближе к тебе, Господи!

Чтобы как-то подбодрить себя, в такт шагам, я повторял:

— А в походной сумке спички и табак... Пушкин, Боратынский, Ба́-тю́-шко́в! А в походной сумке спички и табак... Лермонтов, Григорьев, О́-га́-рёв!.. А в походной сумке спички и табак... Бродский, Кублановский, Ку́-зне́-цо́в...

Так было проще.

У Жеки хватало сил не только быстро идти впереди меня, но и возвращаться иногда.

— Слушай, такой странный сон был ночью, — вспомнил он, подбегая. — Приснилось, что книги от тебя получил в дар. Три. Одна на непонятном языке, вторая с чистыми листами, а третью не открыть.

“Первая твоё будущее, вторая твоё настоящее, а третье твоё прошлое”, — кто-то сразу подсказал мне на удивление трезвый ответ, но его ещё надо было произнести вслух, и я не стал этого делать.

— Я к чему, — сказал Павленко, и не ожидавший от меня объяснения. — Подари мне книжку, которая у тебя в кармане, а то обратно опять на электричках трястись целые сутки... Выучу про спички и табак. И всё такое, всё такое. Раз у тебя денег нет на пиво. И оружия на войну.

Не глядя, я отдал ему книжку — в мягкой обложке, зарифмованную просто и красиво — как всякая человеческая жизнь, где мы не слышим рифм, а они всё время есть, на каждом шагу.

Жека засунул книжку под ремень.

В кремле фонари не горели — там никто не гулял ночами, кроме местных ментов, — и мы пошли на мятущийся цветок Вечного огня, который словно бы хотел улететь на другую сторону реки, и всё не мог.

У цветка стоял этот рыжий, со шрамом, как будто нас дожидался; а его дружки, наверное, пошли отлить к ближайшим деревьям, и должны были вот-вот явиться: я слышал их голоса.

Стало ясно, что нам всем уже ничего не миновать: вечер был злой, ветреный — в такой не мирятся, а зачем?

Я вдруг догадался, что он не местный: чего бы ему делать у Вечного огня, ни один нижегородский гопарь сюда не пойдёт никогда.

У рыжего снова была бутылка пива в руке, но на этот раз почти полная: только что открыл, видимо.

— Вот я сейчас пивком побалуюсь, — пообещал даже не мне, а себе довольный Павленко.

Он торопился, и листва клубилась за его спиной, а я едва поспевал вслед.

— Эй, дай-ка мне отпить, — сказал Павленко громко.

Рыжий не шелохнулся, а только смотрел на подходящего. Лицо его с одной стороны было тёмное, а с другой — повёрнутой к огню — яркое, как будто его разделили пополам. Одна часть ещё здесь, другая уже там.

Павленко оставалось несколько шагов, и он не столько продекламировал — сколько продерзил выдуманную на ходу строчку, сокращая время для размышлений и себе, и тому парню:

— А в походной сумке спички и табак! Рыжий, конопатый, как же так? — и снова протянул левую руку за пивом, а правую уже чуть занёс назад для удара.

Рыжий сморгнул, тряхнул головой, но не вперёд, а назад — отчего кепарик свалился на землю — и плавным, каким-то ласковым движением подал Жеке пиво: как родному, которого заждался.

Тот от неожиданности споткнулся, но сразу взял себя в руки, и засмеялся чему-то — хотя я не мог видеть этой улыбки, идя сзади, но явственно слышал смех. Жека взял пиво, и, закинув башку, выпил половину бутылки в два глотка.

Тяжело дыша, я наконец подошёл и стал рядом. На меня никто не смотрел. Я выглядел здесь чужим, словно оказался в компании двух мертвецов.

— Допивай, — предложил рыжий Павленко.

— Ты, — сказал Павленко. — Твоя очередь.

Жека небрежно сбросил своё знамя к Вечному огню.

Не попрощавшись, мы с ним пошли к выходу.

На фоне развернувшихся небес шёл первый снег. Высокие ели не двигались с места, глядя поверх наших голов. Мы закурили, и дымок быстро разлетался над нами.

И всё такое, всё такое.

ПЕТРОВ

С котами Петрову не везло — всякий раз казалось, что хоть этот будет вести себя прилично, но нет — через неделю-другую новый кот решал, что пластиковая коробка — не по его части, и начинал метить углы в прихожей.

Дальше прихожей коты не допускались — но там было всё необходимое для кошачьей жизни: углы, резиновый коврик, старая подушечка, громоздкий шкаф, мячик.

Первым в дом Петрова заселился чёрный кот, красивый, как кошачий демон. Некоторое время кот вёл себя, как нормальный человек, а потом началось...

Петров пытался воздействовать на него разными способами — кричал и топал, тыкал мордой в содеянное, выгонял кота на улицу, даже в лютый мороз, чтоб знал...

Кот возвращался, и, озябший, недовольный, тут же, на глазах у Петрова, присаживался посреди прихожей и длинно, с отупевшими от напряжения глазами, дул. Не на улице же ему всё это было делать — в такую холодину.

В очередной раз со зла Петров с ноги засадил коту по морде, тот взлетел, ударился в кувырке о стену, и с бешеной скоростью забрался на шкаф, откуда тяжело и устрашающе не столько даже замяукал, сколько завыл.

— Поори мне ещё, сука, — сказал Петров, присаживаясь на колено и готовясь вытирать лужу половой тряпкой.

Кот снова подал голос — и Петрову стало не по себе: прыгнет ещё на шею, вцепится когтями — раздерёт шею так, что от потери крови подохнешь.

Вот будет незадача: гражданин Петров убит собственным котом.

Последнюю пару недель чёрный кот пошёл вразнос — метя и поливая в прихожей всё подряд. Шкаф снизу начал подгнивать. Свою обувь, смешно сказать, Петров после понятного случая стал держать на холодильнике, куда кот забраться не мог, хотя, возможно, пытался.

— За что? — будто бы в шутку, но совсем не в шутку спрашивал себя Петров с предрвотным чувством, обнюхивая свой ботинок. — За что так со мной?

Петров вроде бы не сделал чёрному коту ничего плохого.

На общее их счастье, кот однажды ушёл и пропал.

Женой Петров не обзавёлся, хотя ему было уже 35. Детей не имелось даже на стороне.

Не то чтоб он не интересовался женщинами — просто так сложилось.

У него сейчас имелась подруга, даже, пожалуй, две — только со второй он давно не имел плотской связи, а с первой — иногда случалось. Раз, быть может, в месяц. Они работали вместе, и он заходил к ней, как подруга это называла, пообедать.

Ей было 39, она скрывала свой возраст, но Петров подсмотрел случайно в бухгалтерии её год рождения. На него это никак не подействовало: ну, немножко постарше, подумаешь.

Телесное трение с какого-то момента перестало привлекать Петрова, он предавался этому занятию нехотя — словно так было положено.

Петров наверняка знал, что его подруге, верней, его подругам всё это, в сущности, тоже не очень нужно — но если с женщинами не совершать некоторых нелепых действий, они начинают волноваться: то ли о собственной непривлекательности, то ли о несостоятельности своего близкого товарища.

Петров был вполне себе неплох внешне, после тридцати не раздобрел, с алкоголем имел отношения здоровые и устойчивые — выпивал, когда хотелось, когда не хотелось — не выпивал.

Курить — не курил, хотя подумывал: чтоб перебить запах в прихожей.

Купил даже как-то пачку сигарет... но не пошло.

Жизнь его текла и текла, к рефлексии Петров склонен не был и, если задумывался иногда о себе, считал, что всё впереди.

Последнее отвлечённое чувство, завладевшее им, случилось давно, лет тридцать назад.

После школы поехали кататься с одноклассником, таким же на тот момент первоклашкой, как сам Петров, на трамвае — так, чтоб доехать до заводской зоны, казавшейся удивительно далёкой и таинственной. По дороге поругались из-за какой-то ерунды, одноклассник выскочил и напоследок, уже на улице, изобразил специально для Петрова несколько хамских фигур.

К последней остановке трамвай подходил пустой.

— Батю приехал встречать? — добродушно спросила кондуктор, крупная, проворная, щекастая женщина.

Петров кивнул.

Бати у него не было. Мать одна кормила и воспитывала.

Завод стоял будто неживой, только дымил несколькими трубами — но никаких признаков присутствия там людей не наблюдалось.

Огромные заводские ворота были закрыты.

В проходную Петров даже не сунулся.

Он прошёл вдоль забора, в надежде на лаз — но лаза не нашлось.

Прошёлся назад — была осень, подцепил на брюки несколько репьёв — долго их отдирал: заводские репейники оказались особенно приставучими и пыльными.

Через полчаса заскучал и всерьёз подумал, что зря сюда приехал: ничего интересного.

Тем более что привёзший его трамвай стоял на месте и никуда не собирался, а новых трамваев не прибывало.

Петрову захотелось есть.

Он вернулся к остановке и начал ждать, когда трамвай оживёт. Кондуктор дремала на своём месте.

"Интересно, — подумал Петров, — мне придётся покупать новый билетик? Я же на нём ехал, в этом же вагоне!"

У него оставалась последняя монетка.

Всю дорогу до завода он катал её в тёплой ладони.

Петров начал искать монетку, и в первый же миг понял, что её нет — в кармане куртки была дырка, которую он сам же и расковырял.

Можно было бы поискать за подкладкой — но подкладка тоже отошла: Петров с силой засунул руку в карман — и увидел свои пальцы, вылезшие из-под куртки.

Куртка была ему мала: они с матерью жили небогато.

Петров начал поспешно осматриваться: может, денежка выпала только что — хотя надежды не было никакой.

Наверняка где-то там в траве затерялась навек. Или в самом трамвае валяется, кому-то на радость.

Огромное, тяжёлое человеческое движение Петров даже не услышал, а почувствовал — за полминуты до того, как открылись ворота.

Он оглянулся и ждал, чуть напуганно — и сам не осознавая, что́ именно ждёт.

Железные, крашенные синим, в длинных царапинах и вмятинах крылья ворот взмахнули — и оттуда разом хлынула человеческая масса.

Десятки и сотни одинаковых мужчин шли, шли, шли.

Откуда-то, один за другим, выехало не менее десяти автобусов — часть мужиков сразу полезла туда, другие, примостившись у забора, или на поваленной набок железной конструкции, или стоя прямо посреди дороги — поспешно разливали и тут же, наскоро чокнувшись, пили: на бутылку уходило меньше минуты.

Грохоча доспехами, откуда-то подкатили сразу три трамвая.

Не замечая Петрова, хмурые мужики лезли в трамвайные двери — с таким суровым видом, словно шли на штурм: никто не смеялся и не шутил.

Петров будто бы оказался среди другого вида существ. Позже, дома, пытаясь вспомнить их речи, он не мог воспроизвести ни единого услышанного им слова: работяги не говорили; или говорили как-то иначе. Возможно, даже не ртом, а животом, или теменем.

Через пять минут всё пропало: автобусы уехали, трамваи укатились, створки крашенных синим ворот сомкнулись.

Петров остался один.

По асфальту катилась пустая бутылка.

Возле железной конструкции валялись какие-то столовские объедки; кого-то успело вырвать.

На обед слетались, покрикивая, воро́ны.

Поначалу Петров пробовал двигаться вдоль трамвайных путей — чтоб трамвай не пропустить, — а вдруг подсадят? — но там было очень неудобно идти: гравий, шпалы, грязь, жухлая трава.

Спустился на трассу.

Он понадеялся, что успеет добежать, когда услышит трамвай — но не успел раз, не успел два, а потом решил, что город уже близко.

Петров брёл несколько часов, оболтал все ноги, возненавидел портфель, тяжелевший с каждым часом; только однажды его нагнала чёрная "Волга" — наверное, заводское начальство следовало домой. В салоне громко играла блатная музыка: начальство выпило и закусило.

Больше машин не появилось.

Петрову было страшно, но не так, чтоб очень.

Когда огни крайних городских “хрущёвок” стали ему видны — он почувствовал себя словно мореплаватель: уставшим, но счастливым.

Думал: вот завтра расскажу в школе — как шёл: все удивятся.

(Рассказать, естественно, ничего не смог, хотя пытался; а что рассказывать? Как шёл? Как долго шёл и шёл? Как шёл и шёл очень долго?)

Домой Петров вернулся к десяти вечера, в начале одиннадцатого.

Мать отчего-то не ругалась: только смотрела на него, трогала голову, уши, щёки.

Уроки он не выучил, поел без аппетита — расковырял картофелину, ничего внутри не обнаружил, отправился спать — одеяло еле поднял, долго себя закатывал под него, то нога отставала, то другая.

Открыл глаза перед самым, уже настигающим, сном — мать смотрела на него с печалью и бесконечной влюблённостью.

“Думает, что я простыл и заболею завтра”, — медленно догадался Петров.

“Хорошо бы заболеть, да”, — подумал он из последних сил.

Перед глазами всё тянулась и тянулась бесконечная заводская дорога к городу: асфальт, высокий сорняк вдоль, сизые, как дворняги, деревья вдоль пути — затравленные и униженные заводом, его гарью и мутью.

Наверное, в эти деревья вселяются души работяг.

Петров пообещал себе, что никогда не станет таким как они, никогда не выберет себе одинаковую, как старый асфальт, жизнь, с этими, во вмятинах, ежеутренними и ежевечерними воротами.

На утро он не заболел, а проснулся как ни в чём не бывало.

Мысль о том, что он не станет работягой, оказалась самой поэтичной в его жизни.

Про судьбу мореплавателя он больше не мечтал ни разу.

Ничего такого в голову ему не приходило никогда: в сущности, Петров не размышлял.

Ну да, лет с четырнадцати он мечтал увидеть какую-нибудь одноклассницу голой, лучше всего Кузнецову, отличницу — но Кузнецова досталась не ему, а Лавинскому, был такой одноклассник.

Петров увидел голой другую девчонку: так себе, признаться, вся какая-то из костей.

В армию Петров не попал: зрение минусовое, сердце тоже не мотор — хотя не болело никогда, а вот ведь, помогло откосить.

Всё остальное у него было в порядке.

Он закончил техникум и начал работать согласно полученному диплому.

Не на заводе, как и хотел; да и завода не было уже, работяг унесли воро́ны.

Петрову исполнился четвертной, когда мать посетовала: "Влюбишься ты хоть в кого-нибудь?" — он даже удивился: что за слово, какой в нём смысл.

Влюбиться он не умел.

Мать переехала жить в дом своих деревенских родителей — деда и бабки Петрова, — оставив ему квартиру. Матери, наверное, казалось, что она мешает Петрову привести девчонку: хорошую, с косой, которая останется тут жить — чтоб сделать ремонт в квартире, кормить Петрова, родить.

Вместо девушки появлялись только коты.

С чего именно коты — а не собака или там хорёк, — Петров сам не знал.

У матери никогда никого не водилось, бабка с дедом держали корову, но её зарезали, когда Петров ещё в школу не пошёл, а следом умерли и дед, и бабка, словно их жизнь подпитывалась от коровы, а без неё иссякла.

Второй кот у Петрова был белый, с чёрным пятном во лбу.

Тогда случился последний раз, когда у Петрова в доме, под одним с ним одеялом, заночевала барышня — зашла на минутку, и так удивилась на кота, что осталась.

Кот жил третий день всего, ещё не освоился: Петров подумал, что он приносит удачу — может, правда кого-то надо родить, чтоб мать отстала.

Детей Петров, признаться, не понимал и смысла в них не видел.

Всё одно с подругой ничего не заладилось: утром она устроила невозможный скандал — надо же, знакомы были часов пятнадцать, и тут такое.

Полотенце Петров, вроде бы, подал ей грязное; или открыл дверь в ванную, когда она там плескалась — задвижки же не было.

Никто не вспомнит теперь, как всё случилось — но эта девка вылезла полуголая, бешеная, орала, и всё никак не одевалась — а только орала и орала: что он вообще не мужик, что всё у него не так.

Петров ошалел.

Еле её выпроводил.

Кот подождал пару дней и принялся обживаться. Всё, как прежде: один уголок, другой, полка для обуви, ботинок хозяина.

Пластиковый туалет стоял сухой и ароматный.

Петров как раз собирался дверь покрасить — даже краску купил — и решил кота обмануть.

Макал газеты в его свежие лужи — укладывал ими кошачий туалет, а мокрое место на полу тут же закрашивал: чтоб кот не шёл на прежний запах.

В итоге через неделю вся прихожая была покрашена, кот брезгливо ходил по сухим местам, иногда влезая лапой в свежую краску, и хотя пахло котом только из его собственного туалета, он всё равно выбирал свежевыкрашенное место и там присаживался.

“Идиот” — мрачно решил Петров.

От кота избавила эта истеричная барышня: она явилась как-то, весёлая, во хмелю — так парни обычно являются; но в наши дни всё смешалось, всё спуталось — Петров, к примеру, ещё в техникуме заметил, что многие парни уже не пьянствуют, как пили ещё десять лет назад, и на девок почти не смотрят, спешат домой, дома чем-то занимаются, хотя не очень ясно чем, может, забираются в кокон и висят головой вниз, — короче, он не один такой получился.

Да, пришла эта дура и, ухмыляясь, сказала, что скучает по коту.

Петров сгрёб кота и сунул ей в руки: бери, и валите оба.

Полгода затем не было у него ни девки, ни кота, зато купил себе машину, иностранного производства, не новую, но красивую. Ездила хорошо, быстро, мягко.

Петров открыл как-то капот, посмотрел, ничего не понял, закрыл. Всё равно ведь работала — чего там смотреть. Есть другие люди, которые могут посмотреть.

На этой машине один раз Петров снял плечевую проститутку. Не столько из-за проститутки, сколько из-за машины.

Посидел, поскучал, пока девушка, громко дыша носом, трудилась.

Успел пересчитать, сколько ещё осталось выплат по автомобилю.

Так громко дышала, что перегнулся через неё, сделал радио погромче.

По радио что-то говорили про войну: где-то снова воевали, кто-то погибал.

А Петров даже не стрелял ни разу. И желания не было.

Кота он больше не собирался заводить — хватит.

Но запах отчасти выветрился, а рыжий явился сам.

Петров открыл дверь — кот сидит.

Обошёл его и — на работу.

Вернулся — кот всё там же сидит.

У соседей такого кота не было: значит, сам явился и определил свой дом.

Петров открыл дверь — кот спокойно зашёл.

И лёг спать тут же — в какой-то человеческой, расхлябанной, даже развратной позе.

Петров через десять минут вернулся в прихожую посмотреть: отчего-то показалось, что кот сдох — и лежит мёртвый.

Нет, он был замечательно живой: одним глазом посмотрел на Петрова и даже не спрятал яйца свои рыжие.

Те, два предыдущих, хоть какие-то признаки человечности проявляли — этот вообще на Петрова внимания не обращал. Съедал положенное, царапался: гулять.

Петров наблюдал кота в окошко и однажды понял, что кот — его полная противоположность.

Рыжий кидался на всё живое — насекомые, другие коты, птицы, собаки, дети — он всё это хотел если не победить, то напугать.

Кошки его интересовали, казалось бы, вне зависимости от того, готовы они к оплодотворению или нет. Он был возбуждён постоянно.

В мусорные баки кот залезал не оттого, что голоден, а оттого, что там можно было караулить птицу — или, вдруг выскочив, шугануть какую-нибудь бабку.

Петров однажды видел, как долго рыжий издевался над пойманным и покалеченным голубем.

Голубь прыгал в траве, всё ещё собираясь выжить, рыжий лежал нарочито спокойно, глядя в сторону, словно бы охладевший к добыче.

Но, едва почуяв свободу, голубь заторопился, и буквально побежал, перебирая лапами и последним целым крылом — второе криво волочилось ему вслед, — кот тут же его настиг и бережно принёс обратно: чтоб ещё поиграть.

Так играл, пока не появились дворовые мальчишки, трое, которые вознамерились голубя спасти.

Двое уселись вокруг голубя на корточки, поглаживая его по голове и приговаривая что-то ласковое, а третий отыскал палку подлиннее, чтоб отогнать рыжего.

Рыжий, увильнув от палки, совершил прорыв, схватил голубя в зубы и в несколько прыжков забрался на дерево, где, расположившись поудобнее, откусил голубю несчастную голову.

Мальчишки подпрыгивали внизу и пытались достать рыжего палкой.

Он даже не отвлекался на них.

Сверху изредка падали перья.

Прихожую рыжий берёг дольше всех: дела свершал исключительно на улице.

Но в какой-то момент у него тоже отключилась в наглой башке какая-то важная функция, и кошачий дух вернулся в дом Петрова в такой полноте, какой ещё не бывало.

Лужи стояли повсюду. Под холодильником, заметил однажды Петров, образовалось озерцо — которое не высыхало, зато разъело пол.

Стремительно, в несколько дней, обоссав всё, рыжий дошёл до того, что, забравшись на полку для обуви и задрав зад, исхитрялся пометить края куртки и плаща Петрова.

Лампа располагалась высоко — но если б рыжий имел хотя бы один шанс — он пометил бы и её жёлтый плафон.

Кот словно мстил Петрову за то, что они такие разные. Рыжий не хотел жить с Петровым вместе.

Декабрь близился к концу, и Петров решил, что рыжего он свезёт к матери в деревню, заодно похвалится машиной и отпразднует с ней Новый год — потому что больше ни с кем не хотелось. Да особенно и не звали: у этой, тридцати девяти лет, кто-то появился — в последнюю встречу она была одновременно отчуждённо-насмешливой — и крайне довольной. Даже непонятно, как всё это могло сочетаться в ней сразу.

Петров и не пытался понять: пообедал с ней — на этот раз исключительно в буквальном смысле — и пошёл домой.

В кармане лежали презервативы.

“Надуть шарик — повесить ей на дверь, чтоб знала?” — подумал Петров, но не сделал этого, а, наверное, зря — она бы после этого замуж за него вышла и родила ему: хоть какой-то поступок.

Рыжего, ждавшего у двери, Петров запустил в прихожую — всё равно последний день в городе.

“Будем надеяться, что он не успеет зассать машину по дороге”, — сказал себе Петров.

Даже позволил коту проникнуть в жилые комнаты, чего раньше не делал.

Кот деловито обошёл всю квартиру: ага, значит, тут я буду жить — выражал его вид.

С места рыжий вспрыгнул на стол.

Петров, лежавший на диване, поискал, чем бы запустить в кота.

Подушкой не хотелось: вставать же придётся за ней.

Кот перепрыгнул на подоконник и, яростно скребя когтями побелку, с удовольствием потянулся.

* * *

Лиза навестила свою трёхлетнюю дочь, уже два с половиной года жившую с её родителями.

Дочку Лиза прижила случайно, и кто отец, могла только предполагать.

Нет, Лиза была по нынешним временам вполне приличной девушкой — с одним парнем рассталась, другой появился, но с ним тоже не срослось, между первым и вторым было расстояние в две недели — совсем ведь не малое? — посредине случилась одна незадача, о которой и вспоминать не хотелось: с ней такое было в первый раз… ну ладно, в третий.

Взрослый мужчина, случайно оказавшийся в их, едва за двадцать, компании. Лизе польстило его внимание — выпила немногим больше, чем стоило, всё завертелось… в итоге даже испытала удовольствие, самое-самое удовольствие — ей редко удавалось достичь этого спазма, а тут летала-летала, и — раз, будто внутри цветок сорвали — но не больно, а как-то наоборот: неожиданно и очень хорошо.

Мужчина ушёл сразу — Лиза поначалу думала, что покурить — а он собрался и уехал. Зачем приезжал, спрашивается. Да и откуда он взялся — никто толком не знал: чей-то знакомый, кого-то искал, позвонил в дверь, остался погреться на минутку — компания была достаточно разномастная, всякий вновь приходящий думал, что этот гость позван кем-то из своих и здесь по праву.

Потом Лиза даже имя его выяснить не смогла: ей он представился одним именем, а за столом, когда рассказывал всякие смешные истории, пацанам представлялся иначе.

И что теперь, сыщика что ли нанять.

В юности Лиза боялась мужчин на улицах — никогда с ними не знакомилась. Зато к тем, кого встречала в помещениях — желательно хорошо освещённых и отапливаемых — относилась с доверием.

Наверное, она доверялась несколько чаще, чем следовало бы.

Закончилось всё рождением премиленькой девочки — кудрявой, щекастой, не похожей ни на одного из предполагаемых родителей.

Пришлось что-то матери соврать про парня, который — военный, служит по контракту, и его часть перевели. Мать в свою очередь соврала то же самое отцу. Отец скривился, как будто ему защемило пальцы.

Личной жизни, пока кормила грудью, у Лизы не было вовсе, а потом, когда она дочку свезла в деревню, тоже ничего не складывалось: работы, что ли, стало много; или подурнела.

А то и — доверия поубавилось.

Тем более что был ещё один случай — ужасный.

Ехала, этой осенью, вот так же из деревни, отчего-то в хорошем настроении — по дочке скучала, а тут наобщалась с ней, нацеловалась, была удивлена, как много та говорит разных слов, изображает всё деревенское зверьё: "в городе таким вещам не научишься, — в который раз уговаривала себя Лиза, — откуда в городе коровы, козы, кролики; а в деревне — всё на пользу ей, быстрее развивается".

По дороге шёл парень — по крайней мере, со спины показалось, что он молод; отгонял комаров обеими руками, комарья тут полно.

Лиза из жалости, ну и по причине хорошего настроения, остановилась — закусают комары-то — а идти до любого ближайшего жилья километров семьдесят, если не сто: вообще неясно, куда он собрался.

Парень оказался взрослым, азиатом, по-русски разговаривать не умел.

Наверное, где-то в деревне подрабатывал, и его прогнали за ненадобностью.

Он уселся сзади, и Лиза тут же поняла, какую глупость совершила: ехать ещё час, даже больше часа — а мало ли что у него на уме.

Она поздоровалась, он что-то пробормотал.

Она спросила — он не ответил.

Сначала Лиза включила музыку погромче, будто музыка могла отпугнуть азиата и все его дурные мысли.

Потом, опомнившись, музыку вовсе выключила — чтоб услышать, если азиат вздумает что-нибудь непорядочное сделать.

Лиза поминутно смотрела в зеркало заднего вида: пассажира не было видно — он спрятался за её сиденьем — руки протяни и души.

Лиза давила на газ: может, хоть так не станет душить — испугается разбиться.

То, что дурные намерения азиата имели место, она не сомневалась — всё это было настолько ощутимо, словно в салоне где-то пряталась ядовитая змея, или пролили жидкость, которая могла воспламениться в любой миг, или где-то под сиденьем находился заражённый предмет — источающий муку, радиацию и скорый распад всякой живой ткани.

“Давно пора было завести собаку! — ругала себя Лиза, хотя никакую собаку заводить не собиралась. — Огромную собаку! Возить её с собою! Он бы испугался собаки!”

“Надо было остаться ночевать, как дочка просила!” — корила себя Лиза, но и оставаться ей было в тягость: с отцом она ладила трудно.

Лиза ещё раз подумала о дочке и едва не разрыдалась: впервые в жизни ей стало жалко не столько себя, сколько это создание, невесть от кого рождённое, которое теперь ещё и мать потеряет, и останется навсегда среди коз и коров.

“Пора бы уже дочку забрать к себе! — терзала себя Лиза. — Не моталась бы теперь туда-обратно, как дура!”

Хотелось нагнать хоть какое-то авто — чтоб держаться позади: в присутствии людей, пусть они даже в другой машине, её пассажир… ничего не станет делать.

— Пересядь в середину! — вдруг, сама того не ожидая, потребовала Лиза, и махнула рукой, указывая, куда надо пересесть.

Вернулась глазами на дорогу — всё в порядке, едет прямо — и проверила в зеркале заднего вида, послушался ли её азиат: вроде послушался — было слышно его движение.

Зеркало не очень получалось правильно направить — рука ощутимо дрожала, — и тогда Лиза оглянулась.

Азиат сидел посреди салона, и ширинка на его джинсах была расстёгнута: половой орган торчал наружу, в обычном состоянии, словно бы случайно забытый.

Лиза взвизгнула, ударила по тормозам, не помня себя выпала из машины — когда успела отстегнуть ремень, сама не заметила, — но не побежала прочь, а открыла заднюю дверь:

— Пошёл отсюда! — закричала изо всех сил. — Пошёл отсюда вон!

Мужчина вышел, и даже немного отбежал в сторону — сам напугался.

Стоял, ссутулившись, искренне огорчённый: сколько ему лет-то было? 18? 68? Не поймёшь никогда по ним.

Лиза заскочила в салон — задняя дверь осталась открытой — но машина так резко взяла с места, что дверь захлопнулась.

Лизу трясло. Она не успокоилась до самого города.

Пришла домой, рыдала, потом забралась в ванну и там пролежала полтора часа — почти не двигаясь, как зимняя рыба.

В деревню за всю осень съездила только один раз — и то с подругой.

Но за неделю до Нового года отпросилась с работы — и шесть дней прожила с дочкой: та поначалу её не узнала, а потом как приклеилась.

Расстаться никак не могли — в город собралась только 31-го к вечеру, матери сказала, что появился у неё один — и обидится, если она бросит его в новогоднюю ночь.

— Так привезла бы его сюда! — сказала мать сгоряча, потом посмотрела на внучкину комнату и сама поняла, что пока рано; дочка, наверное, не всё о себе рассказывала новому товарищу.

На самом деле никакого товарища не было: зато появилось смутное ощущение, что снова пора довериться кому-нибудь. Вырос внутри новый цветок, уже можно было срывать.

Мать напоследок прошептала, что если с этим, новым, не получится — у соседки Петровой есть сын, хороший вроде парень, — я на фотокарточке видела, непьющий, неженатый — приедет на Новый год…

— Приедет и приедет, — оборвала Лиза. — Тоже мне.

Ей всё это не нравилось: соседки какие-то, сыновья, ещё свахи не хватает.

Дочку будить не стали — та как улеглась в дневной сон, так и разоспалась: разбудишь — ещё слёзы будут, а зачем. Поцеловала спящую и побежала к разогретой машине: отец уже завёл, стоял рядом, покуривал, невзирая на мороз.

Термометр на улице показывал тридцать девять ниже ноля.

Зимняя дорога успокаивала: снег, снега, снеги, на зимней дороге не встретишь никого постороннего, разве что зайца — зайцы тут иногда попадались, и подолгу скакали в свете фар, прыг сюда, прыг туда, дурачки.

Только через полчаса навстречу попалась одна машина — а кому надо в деревню на самый Новый год? — мало кому надо — кто хотел, те загодя приехали.

Вторая — ещё через полчаса — машина стояла на левой обочине, какой-то мужик побежал наперерез в свете фар, Лиза вскрикнула от неожиданности, съехала на правую обочину, скинув скорость вдвое, но останавливаться не собираясь ни за что: ударила по сигналу, потом вдавила сигнал ещё раз, мужик в ответ успел с силой ударить дважды: в её окно — Лиза шарахнулась от неожиданности, но руль не отпустила, — и по багажнику.

Лиза вдавила газ.

"Больше никогда! — повторяла шёпотом. — Больше никогда!"

* * *

Тоха и Хромой вынесли дачу 31 декабря.

Всё получилось спонтанно: Новый год, а разлить нечего.

У Тохи и Хромого мозгов оставалось — на одну самокрутку с двух черепушек.

Кроме них, в деревне воровать всё равно было некому.

Вообще они догадывались об этом, поэтому дачу вскрыли не в своей, а в соседской деревне — деревень вдоль реки стояло три подряд — каждые три километра — а дальше не было ничего, только лес и город — в без малого ста сорока километрах отсюда.

Деревни висели на этой асфальтовой трассе, ведущей к городу, как три последних репья на ветке — если б дороги не было, сюда б не доставляли продукты и пенсии, как в некоторые деревни, что располагались выше по реке — там все, говорят, понемногу вымерли ещё десять лет назад.

В их деревнях тоже бы всё повымерло, но не так давно стали понемногу появляться и обживаться дачники: места тут были красивые, диковатые.

Не то чтоб дачники давали работу — в деревнях работы никто не искал, так жили, на холостом ходу, — но из-за приезжих подрос оборот в сельмаге, начали наезжать красивые девки, — чисто посмотреть, как они купаются, — а если дачник опознавал тебя в лицо — можно было у него не только стрельнуть сигаретку, но и попросить, к примеру, штуку взаймы.

Вообще это лишь называлось "взаймы"; никто ничего не возвращал. Однако для дачников тысячная купюра не значила ничего — давали легко, с некоторым даже равнодушием: на, только не ходи сюда хотя бы месяц.

Именно такого соседа Тоха и Хромой обворовали.

Тохе осенью исполнилось шестнадцать лет — но он уже был, как это называется, синий. Спившийся, никуда не пригодный, готовый к переправке на тот свет за ненадобностью.

В школе Тоха учился только года три, потом ему надоело, и он больше туда не ходил; затем и школы не стало.

Говорят, в детстве он был симпатяга, смешливый, шутливый, без переднего зуба — колоритный мальчуган. Но всё это давно закончилось: мальчуган стал сутулый, потерял ещё три зуба, нос ему кто-то скривил набок. Голос у Тохи был не по годам хриплый.

Занимался Тоха тем, что с утра искал, кому присесть на хвоста.

Казалось бы, все оставшиеся мужики в деревне давно всё пропили, работы не имел никто — однако на чекушку всё время находилась сотня, а то и полторы.

Тоха всегда оказывался рядом — и яблочко в кармане.

Отец у Тохи зашился, но сына боялся и ругать его не смел. Мать с сестрою ездили работать в город — месяц там трудились, потом возвращались домой. С весны по сентябрь мать не работала совсем, жила дома — предполагалось, что они будут заниматься огородом или разводить кур, — но ничего этого не делали. Мать тоже попивала, но сил в ней было много, и она не спивалась — только, в непрестанном алкогольном задоре, орала на отца.

В доме всегда был на полную включен телевизор, и вот они орали вдвоём — диктор и мать, кто кого переорёт.

На самом деле, Тоха умел делать любую деревенскую работу: удить рыбу, сделать пацанве удочки с поплавками из подручных средств, знал грибные места, знал ягодные, умел косить, запрягать лошадь, мог бы сам засадить огород и собрать урожай — но не мужицкое это дело, ловко обходился с топором, за подмастерье у плотника или столяра сошёл бы. Кузнечной работы не знал — кузнец умер до его рождения; её теперь никто не знал в этих местах.

Но любую работу, которую делали при нём хотя бы раз, — помнил.

Тот самый дачник, дом которого они взломали, этой осенью покрывал крышу — вернее сказать, три гастарбайтера крыли — они всё перепутали, дорогущий материал уложили кверху ногами — так, чтоб любые осадки попадали непосредственно в дом: Тоха заметил, сначала матерился снизу — но те не знали русского языка, посему забрался наверх, показал, как надо.

Сосед хотел отблагодарить, но в этот раз Тоха денег не взял: одно дело, когда он сам приходит просить, а тут — от души получилось.

Потом азиаты ещё где-то напортачили, но Тоха этого уже не видел — Хромой рассказал, что одного из работников то ли выгнали, то ли он пошёл в город делать денежные переводы в свой чучмекистан.

— Чё, правда пешком?

— Ну, — сказал Хромой. — Кое-как спросил у меня: где, мол, город, куда идти. Я говорю: туда валяй.

Хромому было тридцать с чем-то лет, он забыл, сколько именно, и никакой разницы между собой и Тохой давно не чувствовал, память у него будто прогорела. Недавно Хромой поймал себя на мысли, что не помнит, как звали бабку, хотя бабка его растила.

"Бабка и бабка" — подумал, откуда помнить, если он её так и звал всегда: бабкой.

Всё собирался сходить на кладбище, проверить имя, место могилы вроде бы помнил ещё — там даже фотокарточка имелась: по фотокарточке должен был узнать, даже если могил вокруг накопали столько, что бабкина затерялась.

Но до кладбища был километр пути — в такую даль на хромой ноге без особого дела не пойдёшь. Надо будет — и так снесут.

— Прикинуться, что ли, жмуром, Тоха? Бабку навещу, — смеялся Хромой. — Хотя, это… Обратно не потащат, придётся самому шкандыбать.

Тоха шуток не понимал.

Хромой служил в армии, и даже немножко воевал — хотя в это никто не верил, и сам он иногда думал, что видел войну со стороны, а не изнутри себя.

Служил он мотострелком, самый чудесный день случился, когда пригнали молодых, а у одного из них был здоровый, как рубанок, мобильный телефон — их в те годы не было вообще ни у кого. Молодой, наверное, мечтал мамке звонить прямо с верхней шконки: мамка, я служу! Службой дорожу!

Хромой — хотя он тогда ещё не хромал, а отлично бегал, — дал духу леща и рубанок отобрал.

Иногда на рубанок звонила мамаша молодого, а один раз даже буйный папаша — и оба подолгу пытались Хромого напугать: мать орала как резаная, отец рычал, пока не охрип.

— Это… — сказал Хромой, — а сестры нет у вашего опёздыла? Сестру к телефону позовите теперь.

Потом Хромой угодил на локальную, хотя тоже страшную, войну и был в одном бою.

Бой проходил в городе, они брали штурмом укрепрайон — ну, как район — здание школы и два дзота.

Хромой смотрел на всё это как на игру — он не особенно напугался, и, более того, даже не отметил про себя: вот, не боюсь.

На то, что сержанта убили, Хромой посмотрел как на правило игры — так положено. Он вытянул сержанта за ногу — пока тянул, в него попало ещё три раза — закончился паренёк. Хромой забрал у сержанта две "эфки", два магазина и "дым".

Порылся в его карманах, ага, зажигалка "Зиппо", давно такую хотел.

Попросил пацанов прикрыть, “дымы” поджёг и разбросал, сторонкой добрался до тарахтящего во все стороны дзота и закинул внутрь две гранаты.

После двух “эфок” там все должны были подохнуть — но сунулся туда и получил очередью по ноге. Так стал Хромым.

Его обещали наградить, но позабыли.

Первые годы он ещё помнил про все эти события — но даже тогда не рассказывал, и отшучивался, что на войне был всего минут пятнадцать.

Некоторое время Хромой работал истопником в бане, но в прошлую зиму чуть баню не сжёг по пьяному делу, его погнали, и он теперь валялся дома. Стал худой и пахучий. С Тохой недавно взяли очередной дзот — сделали подкоп в подвал злой соседской бабки, и таскали оттуда картоху понемногу: не наглея, чтоб не заметила.

Вчера трёхлитровую банку малинового варенья принесли — вроде хотели самогонки нагнать, но разленились.

Тогда Тоха предложил вскрыть крайнего, в соседской деревне, дачника.

Получалось из его невнятной речи так, что раз он крышу ему поправил — значит, тот дачник Тохе должен.

Сосед сам хотел Тоху отблагодарить, а Тоха не взял. Сейчас Тохе надо — праздник, святое дело, — а соседа нет. Кто виноват, спрашивается?

Взять положенное ему, бубнил Тоха, справедливо, иначе дом давно бы затопило — с такой-то крышей, — а следом и заморозило, и всё бы перепортилось по-любому.

К тому же, в доме работали азиаты, и подумают, что они обворовали. А как же? — азиаты дом разглядели — и запали на чужое добро, оттого, что нехристи.

И, наконец, самая важная тема заключалась в том, что у дачника в гараже стояла "Нива" — мёрзла без дела.

В неё можно погрузить то, что найдётся в доме, — съездить в город, толкнуть добро кому-нибудь, — на вырученные гроши разгуляться, утром сесть на машину и вернуться назад.

"Ниву" припарковать где была, дом закрыть и уйти по реке, чтоб никто не видел.

Дачник появится только летом, ну или весной — за это время столько всего случится, что…

Никто их, в общем, даже искать не станет. Может, он даже не заявит.

…разбили окно молотком и влезли.

— Пусть вообще благодарит, что дом не сожгли, — уверенно и хрипло говорил Тоха по дороге в город.

Он себя во всём убедил, и хотел, чтоб Хромой был такой же убеждённый.

В "Ниву" они погрузили разную говорящую и показывающую технику, немного хрусталя, бензопилу, прочий инструмент — ничего особенного в доме не нашлось.

Ещё Тоха нарядился в полушубок — не новый, но, вроде, стоящий.

Так как дом стоял на отшибе — из деревни выкатились никем не замеченные.

Первую машину заметили вовремя и вдалеке — ловко скатились в сторонку, в посадочку, загасили огни, переждали пока проедет.

На огромной скорости пролетел мимо джип.

Уже совсем стемнело, когда на трассе выхватили фарами мужика, который бросился прямо под "Ниву".

Хромой сделал вид, что встал, — мужик подбежал с его стороны к окну, Хромой тут же дал по газам.

— Нахер бы тебя, — сказал Хромой.

— Свидетель, пропалит, что весь салон в чужих вещах, — добавил через минуту.

— Да тут до города чёсом можно дойти, если сломался, — сказал Тоха.

— ...радоваться ему надо, что не грохнули, — заключил Тоха ещё через минуту и закашлялся. — Включи музыку-то, чё сидим-то, бля.

* * *

Петров выехал ближе к вечеру — не то чтоб были какие-то дела, а просто провалялся: куда торопиться-то.

Рыжий сделал лужу и спал в углу, раскинувшись настежь, как ни в чём не бывало.

Петров взял его за шкирку и, не выпуская, донёс к машине.

Машина сразу завелась, хотя было слышно, как ей неприятно трудиться в эдакий мороз: прибор на панели показал минус тридцать пять.

Кот первые несколько минут недовольно мяукал и лазил туда-сюда в поисках выхода: холодное, пахнущее всем, кроме кота и жизни, помещение его не устраивало. Но выхода не нашлось. Тогда рыжий улёгся и стал ждать, когда найдётся: выход всегда находится сам по себе, если потерпеть.

Петров был не самым опытным водителем — машина у него появилась достаточно поздно, да и особой реакцией он никогда не отличался: спорта не терпел, драться не любил.

Не то чтоб Петров был трусом — а так сложилось: чего драться-то, если можно не драться.

В городе ему пришлось постоять: все как одурели — побежали в магазины, за покупками, за подарками, словно целого года не было на подготовку.

Сам он с утра сходил до ближайшего продуктового — приобрёл шампанского, торт, помидоры, редиску и огурцы. Всё остальное мать наверняка заготовила с утра.

Хотел ещё водки взять: а кто будет пить — подумал — самому, что ли, усидеть весь пузырь? Мать-то не пила никогда.

Водку не купил.

Полтора часа ушло на выезд из города — а как началась заводская зона, которую всю однажды прошагал в детстве, — сразу стало просторней и веселее.

Машины сначала попадались, а потом пришло одиночество и дорожный простор: оно и к лучшему — меньше машин, меньше нервов, никто не мешает тебе, ты никому не мешаешь.

Музыки Петров не любил и ехал в тишине и молча.

Природа его не волновала, поэтому он смотрел вперёд.

Машина потеряла обороты километрах, наверное, в семидесяти от города, или чуть больше, или чуть меньше — он никогда не смотрел на все эти цифры: толку-то — ползут и ползут.

Включив поворотник — он ещё пощёлкал напоследок — Петров прибился к обочине, и здесь же машина погасла окончательно: как лампочка перегорела. В ней не работало ничего вообще.

Он щёлкнул замком капота — и пошёл смотреть, что там есть.

Ничего там не было. Петров всё равно не понимал ни черта.

Было совсем не страшно — наверняка кто-то проедет и заберёт его.

Хотя и тормозить никого не хотелось: Петров не любил просить людей, вообще не очень любил иметь с людьми дело.

Первую машину он, в сущности, проглядел — это был чёрный джип, он нёсся, невзирая на гололедицу, — со скоростью минимум сто пятьдесят километров.

Когда Петров начал выползать на улицу, джип, не сбавляя скорости, чуть принял в сторону, и — унёсся.

Петров махнул ему вслед: эх, мол, ты, мол.

В джипе ехал Лавинский, его одноклассник, — у него была полная машина девок — две дочери и жена. Дом он себе купил в соседней от той деревни, где жила мать Петрова.

Лавинский про это не знал; да он и не помнил Петрова: встретил — прошёл бы мимо.

Лавинский помнил только о себе и своих близких — занимался он сразу всем, торгуя и выторговывая, закупая и перепродавая, без сна и покоя, с завидной выдержкой и наглецой, усталости не ведая и ни о чём не волнуясь.

Родился он на югах, в казачьей станице, где фамилию Лавинские носили в половине станичных дворов — все тут были братья и сватья, но вскоре его родители, в надежде на лучшую долю, решили переехать поближе к северам.

Скорость своего передвижения по жизни, да и по дорогам тоже, он объяснял бурной казачьей кровью. Жена поначалу боялась с ним ездить, потом привыкла. А девчонкам его даже нравилось, что отец не катит — а летит.

Мужика, выскочившего из машины, Лавинский, конечно, заметил, но возвращаться не стал: последний, он, что ли, на дороге — другие остановятся.

Тем более что мужик — Лавинский видел его в правое зеркало заднего вида, — и рукой взмахнул еле-еле: то ли ему нужна помощь, то ли он вылез "до свиданья" изобразить.

Резче надо действовать, шустрее надо двигаться.

Жене ничего не сказал.

Им ещё надо было дом отогреть — к полуночи обещали минус сорок пять, — заодно посмотреть, что там с крышей: крышу покрыли только осенью, — не течёт ли, — а ещё ведь и ёлку срубить требуется, и еду разогреть, и стол накрыть.

Навстречу, правда, попалась только одна машина — но попалась же.

За рулём сидела девушка.

Все девушки, давно обратил внимание Лавинский, рулят двумя руками.

Он правил одной, правой, двумя пальцами, большим и указательным, которые небрежно держал внизу руля, где-то на шесть сорок.

Петров запомнил номер промчавшегося джипа — просто потому, что номер был простым, 333.

Потоптавшись возле своего металлолома — ожидая следующий автомобиль, но не наблюдая ничего движущегося, — Петров полез за телефоном, брошенным в подлокотник, и обнаружил, что тот разряжен, на нуле. Ткнул кнопку, ткнул вторую, и телефон угас.

Здесь Петров впервые выругался в голос — но перепугаться себе не дал.

Одет он был так себе — мать бы не похвалила, — кроссовки хорошие, зимние, но свитер — одно название, и куртка — осенняя. Перчаток у него не имелось.

На улице долго не проторчишь в эдаком виде.

Петров забрался в салон.

Позвал кота — кот не откликнулся.

Через полчаса Петров подзамёрз.

Вторую машину, шедшую уже навстречу, в город, тоже едва не проспал, но на этот раз загодя выбежал прямо на дорогу. Машина съехала на обочину, вроде сбавила скорость — но тут же напуганная девка за рулём дала по газам: Петров отбил кулак о багажник — с такой злобой саданул.

— Падла! — заорал он вслед. — Проститутка драная! Блядина!

Долго ещё так орал.

Захотелось водки — водки-то он не купил, дурак.

Водка бы согрела.

О, что за дурак.

Дурачина!

Даже мяса не купил — пожалел свои рубли: мать купит, у матери пенсия, и тратить ей пенсию не на что.

Высыпал — уже застывшими руками — содержимое пакета с едой на заднее сиденье.

Откуда-то, на шумок, тут же явился кот.

Обнюхал огурцы и спрыгнул вниз: сам жри всё это.

Петров укусил огурец — тот был словно хрустальный: никакого вкуса, один лёд.

Долго возился с бутылкой шампанского, пальцы не слушались, еле открыл.

От шампанского стало только холоднее, но всё равно выпил, сколько смог, закусил редиской. Торт вскрыл, влез туда всей пятернёй, потом облизывал её.

Кусал пальцы — те отзывались с трудом.

“Надо костёр разжечь прямо посредине дороги, — решил Петров. — И хер кто объедет”.

Можно было дров наломать — Петров с трудом, весь уже дрожа, открыл багажник: ни лопаты, ни топора у него не было.

Самое главное — не имелось ни спичек, ни зажигалки.

Он же не курил, зачем ему.

До Петрова стало доходить, что он в плохой ситуации.

Тело его словно подменяли: уходило мягкое, своё, понятное — заменяясь чужим, скованным, не отзывающимся.

Можно было попробовать побежать в сторону города: но семьдесят километров — это сколько? Пять часов бега? Десять? В такой мороз? Сможет ли? В своей куртке нелепой. На этих отчуждённых от сердца и мозга ногах.

...когда его объехала третья, с двумя парнями в салоне, “Нива”, Петров заплакал. Слёзы тут же застывали, даже не на лице, а, казалось, в глазах: приходилось оттирать лицо рукавом, чтоб взгляд не остекленел раньше времени.

Снова забрался в салон и там, не сдержавшись, разрыдался в голос: лаял, блеял, выл.

Когда на плач уже не осталось дыхания, успокоился, начал рыться повсюду — в поисках хотя бы спички: прежние хозяева должны были что-то оставить, потерять, забыть.

В бешенстве выломал бардачок: он был пустой, просто пустой.

В подлокотнике лежала книжка на иностранном — кажется, китайском — языке, с описанием механизмов, рычагов и кнопок автомобиля.

Петров разодрал книгу зубами — руками уже не смог.

Снова вылез на улицу, нацарапал там всем привет, и решил больше салон не покидать: внутри вроде бы чуть теплее было.

Пытался вскрыть, надорвать кресла — может быть, можно забраться внутрь их — ничего у него не получилось.

Осенило вдруг: кот!

Порыскал отупевшей рукой у задних сидений, нашёл его, засунул рыжего за пазуху: тот не сопротивлялся.

От кота шло хоть какое-то тепло.

Петров попытался отогреть о него руки — нет, на пальцы животного тепла недоставало.

Но всё равно, всё равно с ним было лучше.

Петров съёжился, прижал ноги к самой груди, задремал — и ему тут же приснилось, что он всё-таки пошёл домой, и теперь, спустя несколько часов, спустя целую ночь пути, он уже идёт вдоль заводских корпусов, и ему видны огни "хрущёвок" — смог же, он смог.

На снегу, возле его покрытого инеем автомобиля, были выцарапаны три автомобильных номера.

Под номерами Петров написал: "Будьте вы прокляты".

ПЕРВОЕ КЛАДБИЩЕ

Иногда мне кажется, что у человека, помимо привычных стен и крыши, должен быть какой-то незримый дом здесь. Немного выше земли, но ещё не на небе.

Там живёт твоя судьба — в которой отразился весь ты сразу: прошлый и будущий, задуманный и свершившийся.

Судьба лежит на диване, закинув ногу на табурет, стоящий тут же, посасывает не дымящую трубку, разглядывает газеты.

Я хотел бы надеяться, что в газете мой портрет, но вряд ли.

Надоели уже судьбе мои портреты.

Иногда судьба разволнуется о чём-то, встанет с дивана, подойдёт к двери, постоит в задумчивости, вернётся обратно. Сядет на диван, сидит.

Дома, в столовой, два твоих ангела от нечего делать играют в шашки… или нет, в поддавки.

Между ними стоит вазочка с вареньем, скажем — сливовым, они по очереди, не глядя, тянут туда руку и, зачерпнув одной и той же ложкой, едят. Иногда руки сталкиваются, и ангелы смеются.

На цепи возле дома сидит собака — что-то среднее между всеми твоими собаками: той, из деревенского детства — голубоглазой, с вьющейся шерстью, нынешней — вислоухой и дурашливой, и какой-то ещё неизвестной, строгой, гладкой, молчаливой.

В песочнице возле крыльца копошится твой будущий ребёнок; заскучал уже.

Иногда он перестаёт играть и долго, недетским взглядом куда-то смотрит.

Может быть, в сторону кладбища — куда являются те, кого он не встретит.

Жизнь устроена так, что ты — верней, твой незримый дом в этом мире, — постепенно начинает обрастать могилами твоих сверстников.

Тех, кто был немногим старше или чуть моложе тебя.

Сначала гости редки, и ты удивляешься каждому новому кресту.

Говорят, потом их будет так много, что ты даже не пойдёшь туда искать всех, кого знал: надоест удивляться.

А когда их всего несколько — что ж, можно заглянуть. Холмик ещё тёплый, земля не осела. Немного листвы на свежевзрытой земле — пусть листва.

Отчего-то до сих пор это не случалось зимой, всегда какая-то листва кружила под ногами.

* * *

Малышу было двадцать, он только что пришёл из армии и попал в моё отделение — мы работали в отряде спецназначения и занимались тем, что в меру сил латали прорехи нашей государственности.

Быть может, мы с ним разговаривали раз или два, но я точно запомнил в нём черты, несвойственные детям рабочих окраин, — а он был с рабочей окраины, как почти все мы, в отряде.

Малыш был красив — той, не очень часто свойственной русским красотой, — почти поэтического типа: ласковые серые глаза, длинные ресницы, русый чуб, высокий лоб, белые зубы, ну и губы — девушкам на страдание.

При этом весь ладный, турник после него дымился, в работе ловкий, в разговоре между своими, служивыми, точно знал грань, до которой стоило смолчать, не переча старослужащим, а где — скажем, во время перекура, — улыбнуться и негромко ответить на глупую шутку так, чтоб старые бойцы, чуть ошалев, весело переглянулись, а тот, кому ответ предназначался, — это был командирский водила, — вдруг смешавшись, бросал недокуренный даже до половины бычок в ведро, и боком двигал в расположение отряда, успевая прохрипеть напоследок: “Совсем молодые оборзели уже”.

Никакие сантименты в нашем кругу не были приняты, но его тут же кто-то прозвал Малышом — безо всякой иронии; и все его так называли, иной раз даже отцы-командиры.

Малыш был напрочь лишён какой бы то ни было вульгарности.

Наверное, все это видели: иначе такая кликуха не прикипела бы к нему.

Точно помню только один наш разговор: он мне тогда, странно сказать, пожаловался.

Мы заехали к местному центральному бару на большую разборку, без пальбы, но крикливую. Шумели молодые блатари. Нас было шестеро, а этих, в остроносых ботинках и кожанках, — с полста.

Мы кого-то тут же закинули в нашу "буханку", остальные разошлись, хотя и недалеко. В этот раз мы сделали вид, что довольны и таким результатом.

Малыш и ещё один боец, старший в их паре, сразу, как я приказал, прошли с улицы, где мы суетились, в бар — потому что звонок поступил из бара.

Вернулись оттуда через несколько минут, сказали: всё в порядке.

Спустя то ли час, то ли два, выбрав момент, Малыш, заметно волнуясь, поведал мне, что с ними возле барной стойки столкнулись четверо борзых, разговаривали грубо и едва ли не прямым текстом велели валить вон. Здесь, сказали борзые, взрослые люди общаются на взрослые темы, а придуркам в камуфляже место на улице. Тот старший боец, что был с Малышом, коротко и совсем не убедительно порекомендовал блатоте вести себя прилично, наскоро попрощался с ни живым ни мёртвым хозяином бара, и послушно заторопился назад. Заодно, по дороге к "буханке", отчитал Малыша за то, что тот пытался влезть в разговор. Тебе, сказал, ещё рано так себя вести — молодой и тонкостей работы не знаешь.

Я выслушал и сказал: "Ничего, бывает, брат". И ещё о том, что город наш не такой большой, как кажется: всех, кто заслуживает, не раз встретим и накажем.

Малыш кивнул — но он всё ещё был раздосадован.

Ему казалось, что в этом городе мы самые сильные.

Поначалу я тоже так думал.

Малыша убили в одном грозном городе вблизи кавказских гор: он шёл по рынку — выбирал что-то там пожрать, то ли рыбу, то ли фрукт, — ему выстрелили в затылок, в упор.

Он был на войне первую неделю. Он ни разу не стрелял здесь даже в местное небо.

У него не было ни жены, ни детей. Я ничего не знаю о том, что Малыш хоть как-нибудь успел провиниться перед жизнью.

Это был не первый и не последний погибший там, но он помнится мне всегда: в тот год я был старше его на четыре года, а теперь на двадцать.

Тогда я был ему старший брат, а теперь — отец.

* * *

Потом в августе, уже уволившись, я шёл по улице тёплой ночью, а там стоял Половник — бородатый певец и, с позволения сказать, поэт, известный всей стране — по крайней мере той её части, что знала смысл слова "рок-н-ролл".

Половник был с молодой девкой, пухлогубой, длинноногой блондинкой в замечательно короткой юбке, в красных туфлях — пародия, но, почти на всякий мужской вкус, привлекательная.

Они покупали водку и какие-то чудовищные, отекающие смрадными соусами гамбургеры.

— О, Половник, — сказал я просто. — Мы твои песни слушали в горах.

А правда слушали — и я, и с моей подачи отцы-командиры, и Малыш подпевал.

Не служа ни дня в армии, Половник ухитрился сочинить несколько разбитных армейских песен, пригодных для хорового исполнения в состоянии лирического восторга, коллективной блажи или умеренной солдатской печали.

Я бывал на его концертах. Пару раз даже сталкивался с ним в гримёрке, куда случайно попадал — но он был старше меня на очень важные лет, наверное, десять, или чуть меньше. С чего ему было помнить меня и отличать от всех остальных, взирающих на него снизу вверх.

В Половнике было два метра роста, он был кромешно бородат, глазаст, губаст и вполне сошёл бы за ещё молодого среднерусского Соловья-разбойника или, может быть, дьякона, который пошёл наказать Соловья-разбойника, но в пути одичал и забыл, куда собрался.

Одевался, впрочем, он вполне себе ничего — не без успеха походя на какого-нибудь своего американского коллегу по ремеслу из южного городка Соединённых штатов, — и его блондинка на красных каблуках за тем неплохо следила, отстирывая ему безразмерные майки от соуса и оттирая кожаные штаны, тоже от соуса, или во что там Половник мог усесться. На могучей его шее висела красивая цепь, по которой вполне мог прогуляться не самых крупных размеров кот. Поверх майки Половник был, несмотря на август, прикинут в кожаную жилетку. Жилетка была прошита коричневым шнурком.

Прозвище своё он приобрёл ещё в студенческие годы, когда заявился в женскую общагу в поварском наряде, с кастрюлей, полной водки, которую разливал, соответственно, половником.

Сейчас он положил в пакет 0,7, а девочке — какой-то злобношипучий лимонад. Судя по всему, водку он собирался выпить один, хотя и так был хорош.

— Правда слушали мои песни? — строго, но довольно спросил он. — Ты там бывал? Наездами? Или по мужицкому делу?

— По мужицкому по делу, — ответил я.

— Пойдём ко мне, выпьем вместе, — тут же предложил он. — Мы здесь живём, — и кивнул себе за плечо. — У меня квартира.

Блондинка Половника не справилась с лимонадом, и он своими толстыми пальцами открыл бутылку — которая тут же сплюнула отвратительной жёлтой жидкостью ему на живот.

Пальцы его казались настолько толстыми, что оставалось неясным, как он ими зажимает аккорды на гитаре: указательный покрывает две струны, средний ещё три.

Впрочем, любым пальцем Половника можно было сразу зажать ля мажор на втором ладу.

Квартирка у него была двухкомнатная, аккуратная, по-женски ухоженная: вешалочки, плиточки, нигде ни пылиночки.

Половник, без экскурсий и сантиментов, скинул жилетку и уселся за столик у окна, тут же приступив к пожиранию своего гигантского гамбургера, раз укус, два укус, немного соуса протекло на грудь, немного осталось на бороде. Блондинка очень бережно, как ребёнку, большой салфеткой отёрла ему сначала бороду, следом — уже в двух местах — майку.

"Майки Половнику, похоже, минут на двадцать хватает", — прикинул я.

Она подала нам рюмки, мне маленькую, ему — в полстакана объёмом; у него здесь, как в сказке про медведей, всё было самое крупное.

Мы выпили — почти не разговаривая, ни до глотка, ни после, — он так и не спросил, что за имя я ношу.

Вся эта ситуация забавным образом не смущала ни его, ни меня.

Блондинка была не очень приветлива со мной, но и неприветливой её посчитать было нельзя — она вела себя естественно: вот сходила за гамбургером и водкой, а вот мы все вместе пьём лимонад и водку.

Ме́ста за маленьким столиком для неё не осталось, и она то стояла, то прохаживалась; туфли перестали цокать: блондинка переобулась в домашние тапочки.

Я попросил Половника поставить его песни — он тут же согласился, а чего бы не поставить.

“Покажу, — сказал я ему, — какие мы слушали с бойцами”.

“Вот эту, — сказал я спустя некоторое время, — слушали: про репродуктор, который на берёзе голосит”.

“И вот эту, — наврал ещё чуть позже, — про мента, который напугал тебя выстрелом в воздух”.

На самом деле, эту не слушали — просто я любил её больше всех остальных сочинений Половника.

Он кивал и жевал.

Я спросил у блондинки, какую песню с пластинок своего бородатого мужчины она любит больше всего.

Блондинка, не раздумывая, назвала самый вздорный и пошлый блюз Половника, там ещё были слова: “Милая, зачем ты дёргаешь его так неосторожно?”

Движимый мальчишеским любопытством, я улучил момент и заглянул в маленькую соседнюю комнатку, где, скорее всего, и случались время от времени события, вдохновлявшие на подобные блюзы. Там стояла их полутораспальная кровать — не очень понятно было, как эти двое там помещаются.

Зато кровать была безупречно заправлена; показалось даже, что там на взбитой подушке лежит кружевная салфетка: что ж, блондинка ценила быт.

Половник, когда дело перешло за полбутылки, начал подрёмывать, и, улучив минуту, чтоб с ним не прощаться — не очень понятно было, что мы можем сказать друг другу на прощание? — я ушёл.

Блондинка проводила меня равнодушно.

В тот август я был одинок, и вполне мог бы с ней позаигрывать — ну, просто повалять дурака, без ущерба для чести и репутации Половника, — но блондинка не предоставила ни малейшей возможности.

Мне показалось, что она была совсем глупой; хорошо, если я ошибался.

В другой раз я встретил его то ли через год, то ли через три, неподалёку от того места, где мы познакомились, на одну автобусную остановку выше.

Было лето, и поздний вечер — я поворачивал с проспекта на улицу, где теперь жил, он медленно и грузно шёл мне навстречу.

Мы почти столкнулись, вернее, я, идущий, в своей манере, быстро, слишком норовисто вырулил на него, и тут же сменил траекторию ходьбы:

— Здравствуй, — сказал я.

— Здравствуйте, — негромко и очень вежливо ответил он, естественно, не узнавая меня.

Фонари находились не очень близко к тому месту, где мы встретились, к тому же мы оказались в сени крупных деревьев, листва едва не касалась голов: я не рассмотрел его лица, но понял, что он был трезв, и не то чтобы грустен — а просто, похоже, в ту минуту невыносимо страдало всё его существо сразу.

Он ступал то на левую ногу, то на правую, в надежде куда-то эту боль сдвинуть, переправить, а она ровно наполняла всё его большое тело, и никуда не девалась, ни на миллиметр.

Наверное, я это понял не в тот же вечер, а на другой день, когда мне сказали, что ночью в своей квартире умер Половник.

На самом деле его звали Лёша, Алексей.

Не знаю, встречала ли его блондинка дома, но если нет, то вполне возможно, что я был последним человеком, которого он видел в жизни: пронёс немного на сетчатке глаза отпечаток незнакомого силуэта.

Я пожелал ему здравствовать, пожелания хватило на несколько часов.

Зачем всё это произошло? Зачем я шёл, а он навстречу? — и фонарь светил издалека.

* * *

Все новости тогда приходили ко мне быстро, потому что я работал в газете, был редактором огромного еженедельника, половину статей в который писал сам.

Газета традиционно принадлежала восхитительным прощелыгам смутной этнической принадлежности — на тот момент, впрочем, казавшимся мне симпатичными ребятами.

Директора были мои, без малого, ровесники — но я, в отличие от них, вечно недоедал — так, что сбросил килограммов десять, а то и двенадцать после своей предыдущей работы, денег мне едва хватало недели на полторы после зарплаты — а у них прибыток тёк с перебором, они кормили себя отлично, намазывая свою жизнь как сливочное масло с мёдом — и всё это съедая, хохоча и сияя белками нерусских глаз.

Поэтому они выглядели взрослее меня: сытые люди всегда выглядят старше.

Явившись однажды, строго говоря — ниоткуда, в свою трёхэтажную редакцию, — там издавался ещё центнер всякой прочей галиматьи, — я быстро получил отдельный кабинет и, насколько это возможно, вошёл в доверие к этим, чёрт, управленцам.

Распространением разнокалиберных изданий и прочей механикой занимался тип по имени Алхаз — круглолицый, смешливый, обаятельный, без понтов.

Мы сошлись с ним на его дне рождения; на эти праздники в отдельном, за могучей железной дверью, кабинете зазывали только самых приближённых — и вдруг позвали меня.

Когда, через полчаса, после перекура у большого, настежь раскрытого окна все рассаживались на места, Алхаз уселся рядом со мной, чтобы дорассказать мне какую-то байку — в итоге остаток вечера мы с ним провели, заправляя столом, всеми этими неприступными бухгалтерами, глянцевыми, на шпильках, редакторами и точёными секретаршами — они у нас то пели, то произносили здравицы, то, потом, танцевали, на столе и даже немного под столом.

Всё, конечно, было в рамках приличий — хотя, смотря что́ вы понимаете под приличиями.

В тот вечер Алхаз стал серьёзен только на одну минуту — ему позвонил сын, я откуда-то уже знал, что мой директор недавно развёлся, — и со своим сыном он, стоя возле окна, говорил с той огромной внутренней, едва сдерживаемой радостью, которая не шла ни в какое сравнение с нашим предыдущим непрестанным, до слёз, хохотом.

Судя по разговору, сыну было лет шесть.

Долго ли, коротко ли, но весь этот трёхэтажный печатный пароход сначала дал крен, потом раскололся и утонул, самый главный директор сбежал, Алхаз же присоседился на другом пароходе, хотя, судя по всему, питаться стал проще, масла и мёда в рационе поубавилось: лоск сошёл с него.

Не помню, как мы встретились в другой раз, — чистый случай, — однако искренне обрадовались друг другу, — а пойдём, он говорит, в ресторан послезавтра или, к примеру, через три дня.

А пойдём, говорю.

Никакой, понятно, дружбы между нами не водилось: мы ни разу и не разговаривали толком, но я люблю весёлых, без понтов людей, особенно неясного этнического окраса — к ним у меня особое любопытство, мне самому не очень понятное, да я и не пытаюсь себя понять, живу как есть.

Что ему было интересно во мне, я тем более не задумывался — а что, я лёгкий на подъём, улыбчивый парень с хорошей реакцией на жизнь и её шутки, — этого вполне достаточно, мне кажется.

Мы встретились как закадычные товарищи, обнялись, он заказал шашлыка, зелени, овощей, пили вроде бы коньяк, долго не пьянели, вообще так и не запьянели, разговаривал в основном он, было очень славно, словно бы мы и вправду раньше дружили.

Я не помню ни слова из того, что мы обсуждали тогда.

Там точно не было ни слова о женщинах, ни слова о президентах, ни слова о том пароходе, на котором мы работали вместе и который пропал вместе со всеми своими печатными полосами, типографской краской, бухгалтерией и внутренними телефонами — а ведь была целая жизнь, полыхали страсти, делились кресла, перетекали из пустое в порожнее миллионы.

О чём же мы говорили?

...решили встретиться в следующем месяце ещё раз: отчего бы и нет, это были отличные три часа, он заплатил за всё, и мне показалось, что с удовольствием.

Внешне Алхаз был совсем несимпатичным: не совсем правильной формы голова, кожа серая, мутноватые глаза с обвисшими, как у некоторых собак, веками, улыбался одной половиной рта — правда, часто, а потом ещё заразительно смеялся.

Люди с хорошим смехом встречаются редко. Вечно думаешь, что человек икает, или плачет, или сморкается — а нет: оказывается, это он радуется.

Я на Алхаза иногда любовался.

Встретились два человека, которым ничего друг от друга не нужно, и взахлёб разговаривают: забавно же.

Мы не увиделись через неделю, и через две не увиделись. Миновал год, а потом он вдруг позвонил.

Говорит: точно надо повстречаться, я не отстану, а то вообще никогда не увидимся, наверняка знаю, что именно сейчас пришло время, — и смеётся, — хотя всё равно голос каким-то невесёлым показался мне.

Давай, говорит, в пятницу?

Давай, говорю, в субботу.

В пятницу его арестовали.

Мне позвонила одна девушка, — хотя, если сосчитать, сколько лет прошло, то теперь уже, наверное, женщина в расцвете сил, — с того самого дня рождения, где мы с Алхазом веселились, и говорит: знаешь?

Она мне тоже никогда не звонила: я удивился, что́ за совпадения.

Выяснилось: она его друг. Именно что друг — это оказалось важным в той истории, начала которой я не знаю и узнавать в каких-то подробностях уже не стану.

Она говорит: надо как-то помочь ему, — я отвечаю: конечно, что можно сделать?

Предложила написать открытое письмо — от всей нашей пишущей братии, — с просьбой Алхаза беречь и судить справедливо.

Адвоката, сказала, уже нашли, отличный адвокат.

А в чём там дело? — спрашиваю я.

Она то ли непонятную мне статью уголовного кодекса назвала, то ли даже не называла, а сразу свернула разговор в том смысле, что произошло нелепое стечение обстоятельств, нелепое, глупое и невозможное стечение невозможных обстоятельств, остаётся только надеяться, только надеяться и остаётся, но надежды отчего-то мало.

Следом откуда-то с подветренной стороны пришли вести, что в квартире Алхаза год назад изнасиловали подростка. Ну как подростка — законченного наркомана, возможно, даже проститутку мужского пола, семнадцати лет.

Наркоман где-то целый год бродил и горевал, так и не смог за год умереть, и наконец вспомнил, что прошлой осенью над ним надругались, а кто именно — забыл.

Зато квартиру помнил, в квартире ему понравилось.

Написал заявление, к Алхазу пришли гости и забрали его насовсем.

Говорят, с такими статьями в российской тюрьме сидеть тяжело; иной раз даже суда сложно дождаться.

Через месяц выяснилось, что Алхаза в день преступления вообще не было дома — там ночевал его друг. Друг привёл в квартиру Алхаза случайно встреченного обдолбыша.

Нашлись даже билеты на самолёт — Алхаз в тот день улетал, и его не было ещё двое суток.

Но отчего-то Алхаза не отпускали.

Его подруга — которая друг — ещё раз или два звонила мне.

Наверное, она любила его, или что? Что ещё бывает у людей, какие отношения?

Сказала, что Алхаза перевели в отдельную камеру и что на свиданиях он всё время спрашивает про меня. Передаёт приветы — в начале свидания, несколько раз по ходу свидания, и в конце свидания — непременно.

Откуда-то я чувствовал, что всё это правда: что он помнит и надеется — хотя с чего он взял, что именно я спасу его, не знаю. Он так решил, на краешке бытия он имел свои особенные резоны, которые я не смогу разглядеть и домыслить.

Я понимал про билеты — хорошо, что такие билеты нашлись, до самой Сибири и обратно, — но всё равно не получалось взять в толк, откуда у Алхаза взялся такой близкий друг — с ключами от его квартиры? Причём в эту квартиру его удивительный друг может затащить невнятное существо с пробитыми на руках, на шее, на ногах и на половом органе венами. Существо, больное сразу всем, чем возможно заразиться половым, дыхательным, касательным, воздушно-капельным путём, а также — через стакан, через полотенце, через носовой платок, через расчёску, через зубную щётку и даже через одёжную.

Друг привёл в чужую квартиру гостя — и уложил в кровать, на простыню Алхаза, под одеяло Алхаза, на подушку Алхаза.

У меня нет таких друзей, откуда они имеются у него? — думал я.

Память суетливо напомнила — будто вернула оброненную когда-то вещь, — как на следующий день после того самого дня рождения в редакции мы с моими новыми, чуть похмельными подружками перекидывались в курилке сравнительно остроумными фразами по поводу вчерашних плясок, — и на мои слова о том, что всякому директору подчинённые обязаны приносить ласку и радость, — одна из собеседниц бросила, что все бы здесь рады, но женское тепло Алхазу не нужно, он греется иначе.

Никто тогда не поддержал вдруг возникшую тему, и я естественным образом предпочёл решить, что прозвучала не самая удачная шутка.

Теперь мне было искренне жаль Алхаза; я всё вспоминал, как он позвонил мне в последний раз и говорил: надо встречаться, а то не увидимся, давай уже в эту пятницу, зачем откладывать?

Он не имел ко мне никакого дурного интереса, я бы заметил.

Да и кто здесь вправе осудить человека, когда мы не знаем, что он сделал, что нет, кого любил и чьё тепло предпочитал, переплывая своё огромное одиночество.

Алхаз умер до суда — сердечный приступ, сказали мне.

Откуда-то я знаю, что ему было невозможно жить: от ужаса и страха, от стыда, страха и ужаса.

Вдруг он был не виноват? Никогда, ни одной минуты? Или виноват, но не тем, не там, не с теми, не о том?

Я вижу его лицо — эти глаза с обвисшими веками, слышу этот добрый, с еле слышными восточными интонациями голос, рот чуть наискосок, пот течёт по серому лицу, пот течёт по глазам, волосы мокрые, даже уши мокрые, шея сырая, вся грудь сырая, и он трёт себе грудь рукой.

Он был здоров, он искал куда спрятаться, надеялся, что придёт кто-нибудь, мама, или сын, или, быть может, совсем чужой ему я, и кто-то из нас заберёт его из ада.

Когда он перепробовал все варианты, сердце взяло и спасло его: раз, и встало.

Говорят, что жизнь спасает, а смерть — что? Разве она не работает для нас, не покладая рук.

Алхаз мне был симпатичен живым, смерть придала его несчастной жизни ощущение западни и муки.

* * *

Что до Ногая — он мне совсем не нравился при жизни, и никогда бы не понравился, если б его не убили так быстро.

Прозвище его имело основанием, скорее всего, нагайку — а, быть может, ногайскую народность, хотя к ней он вроде бы не принадлежал.

Он был заурядный, нагловатый малоросский тип.

Я заехал на эту южнорусскую войну по своим делам; сепаратистское подразделение, куда я привёз некоторые, заказанные ими вещи, располагалось на автомобильной базе: была поздняя осень, всюду царил холод.

Меня познакомили с командиром, ему оказалось не до меня, мне тоже было всё равно — я своё дело сделал и мог уезжать.

Мы стояли в коридоре: командир — невысокий такой, крепкий, малоразговорчивый тип, я, несколько моих ополченских товарищей, которым, видимо, было не совсем удобно за неприветливого командира. Здесь появился Ногай и громко протянул:

— А кто к нам прие-е-ехал?

Голос неприятно громыхал в сыром и гулком каменном пространстве. Я скосился на этого шумного типа и подумал: "...что мне тут надо, ей-Богу..."

Ногай был высокий, белобрысый, с усиками, кожа пористая, зубы как у щуки.

Товарищи представили меня; я по-прежнему стоял боком и руки Ногаю не протянул — он и сам не поздоровался.

— А давайте отрежем ему ноги, — предложил Ногай, услышав моё имя.

Было понятно, что он так шутит, что он мнит себя местным балагуром.

Никто ему не ответил.

Командир ничего не сказал Ногаю, все скоро разошлись; меня проводили — я уехал; я был на своей машине и ездил с разными партизанскими целями туда и сюда по местам, где на каждой дороге стояла битая техника, а звуки канонады и автоматных выстрелов уже не удивляли даже местную детвору.

Но на другой день я опять зачем-то понадобился командиру: мне позвонили, меня попросили вернуться. Я не гордый — сделал крюк и покатил назад.

По дороге плутанул и едва не заблудился.

Вовремя развернулся — а то унесло бы; навстречу мне пролетел "козелок" с военными — показалось, что там сидел тот самый неприветливый командир.

Но “козелок” мчался изо всех сил, им, похоже, было некогда.

Приехав в подразделение, я узнал, что командира вызвали на “передок” — так называли передовую.

— Ночью будет наступление, — сказали мне мои товарищи.

Их тоже должны были вот-вот переправить в окопы.

Они были в полном боевом снаряжении.

Я остался ночевать и дожидаться командира.

Ужинали мы в едва ли не единственной по-настоящему чистой и тёплой комнате — остальные помещения вполне себе походили на гаражи.

Отчего-то все разговаривали тихо, будто опасаясь, что на громкие голоса отреагируют местные демоны, начнётся артобстрел “передка”, мир надломится, задымится, посыплется.

Настроение было тяжёлое.

Заявился Ногай — оказывается, он здесь числился старшим по хозяйству, — вид он вновь имел наглый и навязчивый.

Я ещё надеялся, что в прошлый раз он был просто пьян: это прощало бы его хоть отчасти, — но нет, он и трезвый был вполне дурак.

Ему не понравилось, что мы расположились за этим столом, а не за тем, что посуда эта, а не та, что свет то ли горит, а надо, чтоб не горел, то ли наоборот, еле горит, вполнакала, и надо добавить иллюминации.

Он уселся напротив меня и тут же извлёк какие-то картинки из кармана — я думал, может, хотя бы голые девки, — нет, сабли, кони, откосы, избы, чёрт знает что, — якобы это всё его, или дедовское, или прадеда, — каждую картинку сопровождал рассказом, причём кидал их мне через стол, не подавая: осчастливил вниманием.

"Бывают же такие дуроломы", — устало думал я.

Сгрёб все картинки в одну стопку, подбил краями, вернул ему назад.

Сказал: "Красиво".

Спать пошёл в тот отсек, где жили товарищи, — огороженный фанерой кусок коридора, ледяные стены, сырые потолки, с потолков на длинных проводах свисают лампы, пол бетонный, кроватки будто из детсада — рассчитанные на людей с короткими ногами.

Где-то, то ли вдалеке, то ли уже нет, грохотало и долбило.

До одной позиции, сказали мне, было не более двух километров, до другой — пять.

Легли все, естественно, в одежде, — и некоторое время на слух определяли, из чего идёт стрельба. Потом услышали топот в коридоре и команду: по машинам.

Мы скоро и скупо попрощались.

Я прикидывал, сколько ехать пацанам: по ночным, разбитым дорогам, без фар.

Пока размышлял — бомбёжка стихла.

Немного успокоился за своих — они точно и добраться ещё не успели, — даже задремал.

Спал, думаю, минут пятнадцать — разбудил крик: показалось, что кто-то бьёт собаку.

Попытался найти свет, но где тут; наощупь двинулся в дверям.

В коридоре хоть как-то помогало освещение какой-то далёкой, за углом, лампочки.

Минуту было тихо, а потом снова раздались крики, на два голоса: один злобный, будто хозяйский, другой жалкий, остервенелый — этот голос я и принял за собачий.

Отчего-то сразу догадался, в чём дело.

Сутулясь от ночного холода, перешёл двор — с контрольно-пропускного пункта на воротах меня не увидели.

Открыл железную дверь дальнего ангара.

Крики были всё ближе, совсем рядом.

Пересёк ангар и грохнул ногой в железную дверь.

— Кто? — едва ли не сразу спросил Ногай.

— Красный Крест, — ответил я.

Верно, он с кем-то меня перепутал, поэтому тут же открыл.

Ногай был в одной тельняшке, распаренный, красный.

Камуфляжные штаны на подтяжках, сапоги, в руке нагайка.

Удивлённо воззрился на меня.

Здесь было светло и даже натоплено.

Заглянул ему через плечо: тут, видимо, держали пленных — только я не сразу догадался где.

Потом понял: в яме посреди этого помещения.

Яма была накрытой железной решёткой, но её можно было открыть или сдвинуть.

Здесь Ногай отводил душу.

— Вызывают? — спросил он меня, пытаясь догадаться, откуда и зачем я появился.

— Да, — обманул я и пошёл обратно, весь содрогаясь от брезгливости.

На следующее утро Ногая и всю хозяйственную обслугу тоже сорвали воевать.

Остался один дневальный — молодой, ещё не воевавший, пацан, шепелявый, говорливый.

Покурили вместе, он рассказал, что Ногай уже несколько раз порывался выпороть пленных — они нарочно орут, знают, что так можно докричаться до кого-нибудь, и его тогда уведут.

Командир настрого запретил любое зверство и паскудство: когда Ногая первый раз застали — ему попало командирским кулаком в зубы.

Ушлый Ногай стал дожидаться, когда всех срывают по тревоге, и чудить в одиночестве.

Дневальный посмеивался, я нет.

Прогрел машину и снова отбыл.

Ногай оказался на редкость храбрым мужиком — все так говорили потом.

Когда пошли танки, отвечавший за боеприпасы Ногай спрятался за домом — обычная мазанка, пустой скотный двор, колодец во дворе, качели на дереве у крыльца.

Ровно в этот дом попал первый снаряд и сразу убил Ногая. Качели оказались на крыше соседского дома.

Он женился за месяц до смерти, а за неделю — венчался.

Жена, оказывается, служила здесь же, в этом подразделении, тоже, наверное, по хозяйственной части — я мельком видел её уже в следующий заезд, всё ещё заплаканную, в чёрном платке.

Горе её было очевидно и пронзительно.

Где он её ждёт теперь — в раю? в червивом, полном змей и сколопендр, болоте? С нагайкой или без?

* * *

У Сёмы тоже была жена, но я её никогда не встречал, даже фотокарточку не видел.

Сёма вырос в детдоме, будучи полным сиротой.

Он, по правде говоря, совершенно случайно оказался у меня в гостях среди других весёлых ребят — музыкантов, актёров, военкоров, спортсменов, революционеров, литераторов, бывших военных и действующих ополченцев, нескольких, для колорита, молодых профессоров.

Вокруг был лес, от горизонта до горизонта, по лесу бродили звери, выходило так, что мы, стая людей мужеского пола, оказались меж зверья и бурелома.

Мы традиционно двигались от реки до бани, от костра до реки, играла гитара, заливался баян, подпрыгивал, напуганный яростными руками, мяч, и мы опять шли в реку, в баню, в белый свет, как в копеечку, а потом назад, по кругу, в любой последовательности.

Сёмка держал алкогольный удар, но стал заметно возбуждённей и злей — не к другим гостям — а куда-то внутрь себя, или настолько далеко вовне, что нас это не касалось.

Лицо пошло пятнами, будто синяками, иногда что-нибудь хватал, проволоку — и гнул, гнул, скручивал.

Любую игру он вёл до остервенения, детдомовские законы — что-то вроде "не отнимешь — не съешь", или, скажем, "оказался сверху — добей" — нет-нет, но зудели где-то у него в мозжечке, и он усилием воли давил в себе эти назойливые наказы. На любую улыбку по его поводу он, казалось, мог бы отреагировать, воткнув кому-нибудь вилку в плечо, и только пацанское знание о том, что здесь все свои, всё поправляло.

Он был худощавый, невысокий, внимательные глаза в глубоких глазных впадинах, скуластый, маленькие уверенные челюсти — наверное, даже симпатичный, и в то же время что-то преступное в нём виделось сразу.

На обратной дороге — мы ехали на автобусе, всей продолжающей веселиться бандой, — нас тормознули в соседней, такой же заброшенной, как и моя, деревне: четыре сельских жителя, умаянные и озадаченные, держали пятого, со связанными руками, в майке, взъярённого, мокрого.

Мужик вращал глазами и открывал рот, издавая какой-то звук. Я прислушался и понял, что он каркает на всех.

— Спасайте, — сердечно попросили нас сельчане. — Допился до белочки, а у нас ни одной машины на ходу нет. Бросьте его в салон — а на въезде в город вас уже ждёт его родня: повезут лечить.

Нам вся эта история только прибавила веселья: мы его даже не бросили, а посадили на заднее сиденье, и через минуту забыли про него — но только, впрочем, на минуту, потому что эта бешеная ворона, выждав момент, сорвалась с места.

С несусветной скоростью, в два прыжка, мужик почти уже достиг лобового стекла, и наверняка вынес бы его башкою, но на него среагировал именно Сёма, сидевший справа, впереди.

Быть может, в них действовали общие токи или ритмы — и он знал, как тут себя вести.

Успев схватить неслабого и в полтора раза больше себя мужика за кадык, Сёмка, делая ловкие и какие-то обезьяньи движения, завалил бесноватого обратно в салон, оказавшись на нём сверху.

Никто толком так и не понял, что сейчас нужно сделать — мужик изгибался, легко поднимая Сёму усилием лопаток и затылка, водитель в натуральном ужасе косил в зеркало заднего вида, но ещё рулил.

— Тебя как зовут? — вдруг отчётливо спросил Сёма мужика, глядя ему прямо в глаза.

Никогда в жизни я не поверил бы, что тот способен расслышать и осознать человеческую речь, однако мужик тут же ответил:

— Серёжа.

— Извини, дядя Серёжа, это всё для тебя, — сказал Сёма и — вырубил его.

Мы отволокли мужика вглубь салона, и он безропотно провалялся оставшийся час.

Я пару раз подходил, трогал его за шею: нет, живой.

Кивал водителю, следившему за мной в зеркало: всё в порядке, езжай себе.

Никому не хочется возить труп.

Один Сёма вовсе не волновался: то ли он знал, что не убил, то ли ему было всё равно — убил, и ладно.

В городе нас действительно встречали, и мужик вышел словно уже готовый на поправку; хотя, может, показалось.

Сёмка, в сущности, был очень надёжный пацан, хоть и диковатый. Надо только было понять, где на Сёму нужно положиться, а где не стоит.

Он уважал одного чернокожего персонажа, по имени Тупак Шакур — жил за океаном такой бандит и певец, пока его не застрелили.

Сёма хотел, наверное, бедовать похожим образом; он тоже читал рэп, и куплеты его были — вполне; я имею в виду, что Сёма был адекватен самому себе — и никогда не кривлялся, а это немало.

Если бы Сёма рассказал про себя, своими словами — что там на самом деле надломилось, а потом срослось, хоть и криво, в его детстве, какие кошмары и какие победы он пережил и одержал — цены б его рассказам не было.

...а то что я тут могу додумать за него?..

Ничего не могу.

К тому времени, когда мы познакомились, у него была жена, тоже детдомовская, а потом и дочка появилась — но мы тогда общаться перестали: его куда-то снесло на самое дно, а я к нему спасателем не нанимался, тем более что он не просил.

Да и нет никаких спасателей на свете.

Хотя вру: в те месяцы понемногу началась очередная война, и я подумал, что Сёму надо забрать, увезти туда — ему на войне самое место: чем не детдом.

И если он там ещё раз выживет — он некоторое время проживёт; может, даже, всю оставшуюся жизнь.

Но я себя тут же отговорил: кто, спросил, наделил тебя правом выбирать, что кому нужно, — у него ведь дочь, у него своя жена, у него своя голова с маленькими цепкими челюстями.

Теперь думаю, что зря я всю эту ерунду себе говорил.

Сёма, юноша двадцати двух лет, покончил жизнь самоубийством, бросившись с балкона своей квартиры; восьмой этаж.

Был совершенно трезв, в предсмертной записке попросил прощения у жены и дочки, и приписал, что менты — суки.

Не знаю, что там у него было с ментами; говорят, ничего особенного не было.

Может, что-то хотел срифмовать в записке, а рифма затерялась по пути; оставил как есть — некогда, асфальт зовёт.

Толкнулся, и привет.

Я не знаю, где могилы всех этих людей — Малыша, Половника, Алхаза, Ногая, Сёмы, — не знаю, и никогда не пойду их искать.

Они где-то неподалёку от моего дома — другого, который не здесь.

В прошлый раз там, на обжитом ими кладбище, были холмики, и немного листвы сверху.

Потом холмы осели, и откуда-то появились кресты.

С креста на крест перелетает ворона.

Не ходи за ней.

Возвращайся домой к собаке.

Ангелы съели твоё варенье. Ребёнок озяб.

ЭМИГРАНТ

Роберт появился в последнем, выпускном классе нашей школы.

Где он учился до этого, я так и не спросил. Он был худой, ушастый, тонкошеий, узкоплечий, подбородок острый, глаза заискивают, и ещё гнилой зуб впереди.

Учился на "троечки". Я тоже учился на "тройки" — но мои "тройки" были наглые, бодрые, размашистые; половина учителей ставили мне "тройки" с очевидным сожалением — "ты, парень, нарочно так себя ведёшь, а мог бы учиться хорошо, даже отлично", — а другая половина — с мстительным чувством: "жаль, что тебе «двойку» нельзя влепить, нахал".

У Роберта "троечка" была вялая, снисходительная, еле заметная, словно нарисованная на отсыревшей бумаге.

Я своими "трояками" жонглировал, он свои — тащил на себе, сутулясь и потея.

Классе в пятом и шестом мне перепадало от хулиганья — я был нежнейший сельский мальчик, попавший в город, — но к девятому, ни в чём себе отчёта не отдавая, я всё понял про межвидовые отношения — и меня никто не трогал больше: ни тогда, ни потом.

Роберт застал меня в самом расцвете — я дерзил всем подряд, непременно, из недели в неделю, прогуливал каждый понедельник, красный галстук носил задом наперёд, хотя весь класс уже приняли в комсомол, одного меня оставили, одновременно я косил под героических пионеров позапрошлой эпохи, или под чекистов, которым подражали пионеры, цитировал стихи вслух, остроумней всех смешил девчонок, вёл себя так, словно у меня уже был половой опыт — а он действительно был, хотя меньший, чем я изображал, мог осадить гопника, задирающего малолеток, мог подъехать к школе, подцепившись к лесенке с тыльной части троллейбуса, мог выйти посреди урока в окно, пока учитель что-то рисовал на доске, наконец, поздней осенью пришёл в класс с серьгою в левом ухе — это казалось совершенно невозможным тогда.

Ещё я и стричься перестал: начал отращивать косичку, чтоб окончательно уподобиться то ли пирату, то ли дьячку, то ли поэту.

Роберт с какого-то момента ходил за мной туда и сюда; я в адъютантах не нуждался — но не гнать же его было. Мы, болтая, шли вместе из школы, я всегда покупал мороженое или лимонад тем, кто меня сопровождал — у меня водились деньги, полный карман мелочи.

Тех, кто курил, — угощал сигаретами; Роберт не курил — но внимательно смотрел, как я курю.

Впрочем, сказав: болтали — я переврал; он меня, заглядывая в глаза, что-нибудь спрашивал, а я умничал в ответ, весь такой из себя.

Но даже умничать перед Робертом мне было скучно.

Друзья у меня имелись совсем другие — взрослые, за двадцать лет, пьющие портвейн, курящие траву, знающие, кто такие Роберт Плант и Роберт Смит, — мало того, в отличие от своих старших товарищей, я имел представление о Роберте Рождественском и Робе Грийе; короче, в ещё одном Роберте необходимости не было, этого добра хватало.

Передвигался он медленнее, чем я, — всегда вроде как нагонял меня и, вытягивая шею, смотрел мне куда-то в область лба.

Пару лет назад в нашей весьма пролетарской школе Роберт огребал бы каждый день — втрое больше, чем пришлось огребать мне, — и за имя своё огребал бы он, и за тщедушный вид, и за собачьи глаза; но к шестнадцати годам все эти страсти поутихли, да и самых отъявленных поганцев сплавили после восьмого класса.

Роберта никто не трогал — однако он всё равно держался при мне.

Он и садиться на уроках стремился поближе, хотя бы сбоку на параллельный ряд — чтоб слышать моё ёрническое бубненье, и на всякую шутку, улыбаясь, оглядываться. Весь вид его говорил в этот миг: так смешно! ах, как смешно!

Отвечаю за слова: мне всё это даром не требовалось, я веселил себя сам, ну и одну девчонку впереди — но раз он сел, пусть сидит, думал я.

Под конец года наш классный руководитель устроил, с до сих пор не ясной мне целью, опрос: кто есть кто в классе по национальной принадлежности.

Все отвечали: “русский”, “русский”, “русский”, только Динарка Адиярова сказала: “татарка”, а дальше снова — “русский”, “русский”, “русский”…

Естественно, мне не молчалось, и я, в своей манере, всем слышным шёпотом, нёс всякую дурь:

— Да какой ты русский, Вася, друг степей, ё-ка-лэ-мэ-нэ, кумыс до сих пор в столовой спрашиваешь… Врёшь, Сидоров, ты тунгус, осколок метеорита… Обманывает нас Волхов — он по национальности “волхв”, это такой древний народ, у него и родители волхвы, между прочим…

Девчонка впереди смеялась до слёз, всё шло как надо.

Роберта я тоже не пощадил, когда его фамилия — Смирнов — прозвучала, я, сам не знаю почему, веско опередил его ответ, строго произнеся: “еврей”.

Слово “еврей” само по себе смешное — или страшное? — в общем, класс захохотал, Роберт произнести своё “я русский” то ли не успел, то ли его никто уже не услышал.

Подбежала учительница, дама старой закалки, крепко схватила меня за плечо, я ей говорю:

— Тихо-тихо, гражданин начальник, сам выйду.

Она выскочила за мной в коридор, как ошпаренная, и там, словно страшную тайну, прошипела мне в лицо:

— А если он действительно еврей? Ты подумал? Ты подумал об этом?

Я ничего не ответил; она, собственно, и не спрашивала.

Пять минут до звонка я просидел в коридоре: портфель надо было забрать, в портфеле у меня был пустой дневник — который я на “двойки” не подавал, а “пятёрок” мне давно не ставили, томик революционного поэта и кассеты с лучшей в мире музыкой.

Если я скажу, что все пять минут думал про случившееся — совру, конечно. Я думал про это секунды три.

Мысль была примерно такая: еврей и еврей, тоже мне тайна. Чем он лучше татарки Динарки.

* * *

— Привет, я Роберт, — сказал мне раскачанный, бритый наголо парень; я как раз выпрыгнул из вагона поезда, и по неистребимой армейской привычке вытаскивал себе сигарету, пачку из кармана не вынимая (иначе бойцы заметят, что сигарет много, всё тут же расстреляют — не откажешь же, не соврёшь, что больше нет).

Я засунул сигарету в зубы, пожал ему руку и некоторое время смотрел на него, чуть улыбаясь.

Никакого такого Роберта я не знал, этот парень мне явно встретился впервые в жизни.

Наконец, ничего так и не поняв, я прикурил.

— Не узнаёшь? — спросил он, тоже улыбнувшись. — А я тебя ещё в поезде узнал, но подходить постеснялся. Забыл меня?

Что-то такое знакомое мелькнуло в улыбке — но зубы у него были отличные, нос вдавленный, и подбородок тоже такой — будто часто принимавший удары боксёрской перчаткой, а то и просто голого кулака.

— Да, — признался я. — Совсем не помню. Напомни.

— Роберт Смирнов, мы в одном классе учились.

Я очень долгие десять секунд смотрел на него.

— Да, изменился, — тихо согласился он, хотя я по-прежнему молчал.

Всё равно не поверив ему, я воскликнул, без особого, впрочем, нажима:

— Вот так раз! — и ещё раз пожал ему руку, тут же заметив наколку, сделанную в странном, но очень заметном месте — на кисти руки, между большим пальцем и указательным — такой рисунок не спрячешь. Человек, нанёсший здесь рисунок, желает, чтоб все сразу понимали, с кем имеют дело.

Наколот у Роберта был солнцеворот — так язычники славянского рода рисовали в былые времена свастику.

Последнее, что я запомнил из нашего, двадцатилетней давности общения, — как он принёс в школу тетрадку со своими стихами: очень плохими, но не по форме — форма была вполне себе ничего, на всё ту же “троечку”, — а по мутному содержанию.

Там не было никакой традиционной пышной графомании, какой страдают русские мальчишки, сочиняющие стихи, — зато имелась непроваренная, всё время что-то недоговаривающая философия — маловменяемая и без гонора; читаешь и слышишь один слабый писк, как от пойманного в руку, ещё живого пескаря.

Ничего хорошего и ничего плохого Роберту о его стихах я не сказал, только удивился: отчего он мне их показывает? Так сильно доверяет?

Но этот, стоящий возле электрички Роберт — никак не мог с тем Робертом иметь ничего общего.

Нынешний Роберт был хоть и пониже меня, зато в полтора раза мощней и шире.

Добрую четверть своей жизни я носил военную форму, сдавал — и сдал — на “чёрный берет”, кто меня только не бил по голове — и кого я только не бил, я побеждал в межведомственных соревнованиях лучших спецподразделений своего региона... однако сейчас мне пришлось себе признаться, что Роберт выглядит по-настоящему угрожающе; и если б у меня была хотя бы одна возможность избежать драки с таким персонажем — я бы избежал, и не очень стыдился этого.

Роберт, однако, не собирался мне угрожать, а был озабочен, похоже, тем же, что и я: желанием доказать мне, что он — это именно он.

— Ты, кажется, эмигрировал в Израиль сразу после школы, — вдруг вспомнил я; кто-то мне рассказывал об этом, наверное, та самая девчонка, что сидела впереди.

— Да, отец увёз меня... — просто ответил Роберт. — Пришлось отслужить там в армии. И потом вернуться. Домой, в Россию... А отец остался.

Я вздохнул. Я ничего не понимал всё равно.

— У тебя наколка... интересная, — сказал я.

— Ну да, — всё так же просто согласился Роберт, однако на этот раз без улыбки. — Многое в жизни меняется.

На бритой голове его виднелось несколько давних шрамов — глубоких, многими швами прошитых и заработанных, судя по всему, не при рядовых обстоятельствах.

— Дашь мне свой телефон? — попросил он.

Убеждение, что это нелепый, бессмысленный розыгрыш, так и не покинуло меня, даже когда мы расстались.

Роберт не позвонил.

* * *

Если ты когда-то видел себя в форме, и побеждал — желание ещё раз её надеть никогда тебя не оставит.

Я старался, я пообещал своим близким, что не буду этого делать, — но обманул.

В одном фронтовом городе я — адъютант своего командира и весёлый друг карбонариев, — провёл недели и месяцы, решая то одну задачу, то другую, — то в гражданке, то снова по форме, то безоружный, то со "Стечкиным" на левом боку, с "Калашом" на задних сиденьях, и с парой "Мух" в багажнике.

Этот город, простреляный сотни раз, но не сдавшийся, огромный и красивый, в очередной заезд мучительно напомнил мне Гавану.

Кому-то другому он напоминал Белград, кому-то Иерусалим, кому-то Берлин — видимо, всякий ехал сюда за своей родиной, или за своей ненавистью.

А мне, говорю, Гавану — я там бывал.

Ничего, казалось бы, особенно схожего в этих двух городах не было: разве что широкие проспекты и почти избыточная, имперская — хоть и оставшаяся в наследство от разных империй — архитектура.

Разница была ещё и в том, что Гавана всегда выглядела так, словно её бомбили позавчера, а этот город последствия всякого обстрела — а обстрелы тут случались постоянно — залечивал немедля.

Только что снесли прямым артиллерийским попаданием трамвайную остановку — и выбили огромную витрину продуктового магазина за ней — и вот уже подъехала "Скорая", и следом военные, а потом и рабочие явились, и витрину стремительно застеклили, и остановку починили, и бабушка с метлой заметает кровь и стёкла: шахтёра и его ребёнка, стоявших здесь, разорвало на части.

Час назад на этом месте был орущий зияющий кошмар — через час здесь всё так же, как полтора часа назад.

Спокойный и только чуть сильнее нужного сжавший зубы мужчина несёт откуда-то кисть подростка, и бросает её в чёрный мусорный пакет — бабушке с метлой в помощь.

…что-то другое, неуловимое роднило эти города.

Дикий воздух, беспутный ветер, горящие через раз фонари, мелькающие то там, то здесь люди в камуфляже, пыльные стены, вольные девушки, сидящие в кафе и вроде бы не обращающие ни на кого внимания, наконец, чувство достоинства — не нарочитое, но неоспоримое, — свойственное этим городам, этим зданиям, этим и тем горожанам.

Линия фронта двигалась в течение года непрестанно: от окраинных городских домов до позиций русскоязычного неприятеля — иной раз оставался километр, а кое-где и меньше; целые районы города так и находились в полукольце, и одичавшие собаки могли с утра перехватить на вражеских позициях ложку каши, а через полчаса здесь, у моих раскамуфляженных братьев, вылизать банку из-под тушёнки.

В рядах нашего неприятеля — представители всех народов бывшей краснознамённой империи, а также её сателлитов. Признаться, и русских там хватало.

Кого там не было — так это кубинцев. Зато кубинцы попадались среди нас.

С той стороны фронта ждали нас многие и многие мирные люди, желавшие нам победы.

Здесь же, в городе, который мне так полюбился, иногда ходили по улицам совсем другие персонажи — мечтавшие о нашей смерти; в том числе о моей тоже.

Всё перепуталось, как в простреленном животе.

Казалось, что дорога, по которой я двигался в тот раз на своей надёжной машине, мне была известна, но на всякий случай я всё равно остановился, спросил прохожих:

— Наши позиции — прямо?

— Да, туда, — ответили мне: обычная пара, мужчина и женщина, в кожаных куртках, взрослые, за пятьдесят.

Ответ прозвучал настолько спокойно и мимоходом, что ни в чём я их заподозрить не мог — тем более что они продолжили о чём-то своём говорить, не сходя с места.

Отпустил сцепление — и покатился побыстрее, виляя меж миномётных выбоин.

Жилой район закончился; ополченцы с городского, предпоследнего, как подумал, блок-поста пропустили меня, не останавливая, — наверное, встречали мою машину раньше. Пошла "зелёнка", но за "зелёнкой" вроде снова виднелись здания — скорей всего, решил я, мне туда: обещал же пацанам прибор ночного видения, а им надо, скоро опять начнётся ганьба и пальба, возможно, через час и грянет, едва стемнеет.

Пролетев "зелёнку", я очутился там, где точно не бывал раньше — всё здесь было взорвано, убито и покалечено: прежде тут располагалась, вроде бы, продуктовая база, хотя кто теперь расскажет — только местные собаки разве что.

Очередного поста и наших позиций не было видно.

Я сбавил скорость и на малых оборотах докатился до ближайшей руины.

Опустил окошко и вслушался: может, голоса какие раздадутся.

Было совсем тихо. Голова моя торчала наружу из окна.

Роберт неслышно подошёл откуда-то из-за моей машины, с тыла — оглянуться я успел только на последний его шаг.

Он был в камуфляже, знаков отличия я не заметил, в пустой разгрузке, без оружия — по крайней мере, автомат отсутствовал.

— Привет, Захар, — сказал он обыденно, словно мы уже несколько раз здесь встречались.

Я протянул ему руку, не без труда скрыв своё удивление.

Выждав несколько секунд, спросил:

— Как ты сразу догадался, что это я?

— У тебя ж номера нашего региона — здесь таких джипов больше не ездит, — объяснил он, пожав плечом.

— Где тут наш блок-пост, а то я запамятовал? — поинтересовался я, чуть-чуть помолчав.

Роберт как-то особенно пожевал губами, словно у него ириска прилипла к зубу, и он её языком сковырнул.

— Здесь нет твоего блок-поста, — сказал он. — Езжай назад давай.

Последняя фраза прозвучала не совсем доброжелательно; но я сделал вид, что не заметил этого, кивнул ему, в два захода развернулся, и чуть резвее, чем стоило на таких дорогах, отбыл назад, оставляя за собой пыльное облако.

Как выяснилось к вечеру, пацаны мои действительно стояли правее.

А там, где я встретил Роберта, — была нейтральная зона.

Можно было вернуться, спросить: Роберт, чей ты, откуда ты, за кого? — но я не стал.

До сих пор почему-то не хочу этого знать.

БЛИЖНИЙ, ДАЛЬНИЙ, БЛИЖНИЙ

Сенбернар был курносый, как Майкл Джексон. И глаза — Луи Армстронга.

...чёрный, влажный нос; мечтательный, с поволокой, взгляд...

Он покидал машину последним, хотя путешествовать ему было тяжелее всех.

Первым выходил отец семейства и, захлопнув свою дверь, высаживал младшую дочь. Она спокойно подчинялась ему. Когда он, отстегнув ремень безопасности, брал её на руки, дочь издавала бесстрастное мяуканье, словно была заводной кошачьей куклой.

Так она приветствовала отца.

Ей исполнилось два годика.

Он ставил дочь на асфальт, подальше от двери, чтоб случайно не задеть русую кудрявую головёнку.

Подумав, дочь издавала ещё одно “мяу”: короткое и едва слышное.

Видимо, это означало “спасибо”.

Двое других детей, пихая друг друга и переругиваясь, то ли выпрыгивали, то ли выпадали из правой задней двери чёрного джипа.

— Так, ну-ка, тише мне, — говорила его жена, ласково распихивая по сторонам одиннадцатилетнюю девочку и тринадцатилетнего пацана.

Все вместе они собирались у багажника, перемирие наступало мгновенно: семья застывала в радостном ожидании.

Отец открывал дверь, и оттуда, с полмгновения примериваясь, чуть труся, спрыгивал огромный щенок.

В свои пять месяцев, что твой королевич, он выглядел крупнее всех собак, которые попадались на улице.

Утомлённый многочасовым путешествием, пёс крутился, приветствуя всех сразу и поочерёдно, самая младшая его сторонилась и жалась к ноге отца: пёс был выше её ростом и в четыре раза головастей.

— Нас не пустят с ним в гостиницу, — в который раз вслух тревожилась жена.

Отец семейства молчал, придерживая младшую дочь за тёплый затылочек.

Жена вопросительно и заранее огорчённо смотрела на него.

— Мы не сможем оставить щенка на улице, ты понимаешь? Его же украдут.

Отец семейства даже не словами, а полужестом, полуусмешкой, междометием ответил в том смысле, что вопрос будет неизбежно разрешён в сугубо положительном смысле.

Всякая ситуация находилась в его ведении, пронумерованная и подшитая.

— Сначала пообедаем, а потом заселимся? — предложил отец семейства.

— В кафе, в кафе! — закричали старшие, подпрыгивая.

Щенок взмахнул ушами и тоже немного станцевал.

— И в кафе его не пустят, — сказала жена почти обречённо.

— За углом кафе с верандой, — расщедрился отец семейства на целую фразу, и добавил: — Всё будет хорошо.

— Мяу, — сказала младшая.

Вообще она знала некоторое количество слов, самых необходимых, но всё чаще предпочитала не использовать их в своей речи и обходиться мяуканьем. В целом, это получалось.

Жена находила положение крайне тревожным и, в сущности, была права: старшие в этом возрасте уже балакали, и даже читали наизусть, забывая по пути половину шипящих, свистящих и рычащих, разнообразные складушки.

Пора было принимать меры, но отец семейства, в силу пагубной мужской натуры, втайне надеялся, что всё наладится само собой.

Все мужчины уверены, что дети растут как дички и самое трудное происходит на рабочих фронтах, а не где-то там, в домашнем тылу.

* * *

В кафе щенок — королевич весом в пятьдесят задорных килограмм — выразил неистовое желание немедленно перезнакомиться на веранде со всеми посетителями и персоналом, но резко поперхнулся, вздёрнутый поводком, получил звонкий удар женской ладонью по лбу, после чего с редкой готовностью отреагировал на команду: "Лежать!"

Так он хотя бы казался меньше.

Ложился он с заметным, поочерёдным, стуком всех частей тела: перебор передними лапами — ток-ток-ток, грудная клетка — тук, хвост — щёлк, задние лапы — скрып, скрып; влажные, обвислые щёки с хлюпаньем складывались на пол.

— Смотри у меня! — сказала ему жена всерьёз, как взрослому и разумному.

Щенок виновато сморгнул.

Отец семейства с удивлением замечал, что жену собака слушается куда лучше. Его команды выполнялись с дембельской неторопливостью; всем своим видом щенок словно бы говорил: "Во… и ты туда же… Хвост вырасти сначала, прежде чем орать. Ну, сел, и что? Может, полаять тебе ещё?"

— Да, полай! — горячился в иные моменты отец семейства. — Ну-ка, голос! Голос, я сказал!

Тогда щенок задумчиво открывал рот, словно собирался таким образом поймать вылетевшую из далёкого своего дома муху, которую ещё надо было дождаться, или будто пытаясь взять очень редкую ноту, но забыв при этом тональность, да и вообще всё забыв.

Отец семейства в бешенстве заглядывал во влажный рот: голоса там не было.

Когда же "Голос!" командовала жена, щенок лаял немедленно, радостно и задорно, как гренадер при виде государыни.

Если отец семейства и был государем при жене — то разве что тем, которого следовало, — по крайней мере в понимании щенка, — слегка задушить. А то устроил муштру, пруссак.

...за столом родители посадили младшую дочку между собой, чтоб заботу о её кормлении разделить пополам.

Затем выложили на стол телефоны. Телефоном жены тут же завладели старшие дети. В телефоне отца семейства не было ничего, кроме нескольких сотен номеров. Фотографировал телефон исключительно чёрные квадраты, в музыкальный раздел вмещались только спонтанно избираемые фрагменты, тут же выдавливавшие предыдущие записи, имелось две игры, но смысл их и суть было не разгадать.

Младшая огляделась и мяукнула.

— Сейчас будет тебе лимонад, сырники, котлета, картошка-пюре, — сказал ей отец семейства.

— И я буду лимонад! — оторвался сын от телефона.

Старшая дочь смолчала: она любила вести себя самодостаточно. Зачем суетиться, если лимонад ей всё равно достанется.

Она была похожа на латиноамериканку, статуэтку индейской девушки, или, скорей, дочери индейской девушки и конквистадора; во всяком её движении сквозила тайна.

К тому же она была круглой отличницей, первой ученицей в классе, мгновенно решала мучительные задачи по математике и, не задумываясь, выполняла такие упражнения по русскому языку, которые отец семейства не мог понять, даже когда в третий раз подряд, уже вслух, зачитывал себе задание.

"Что они хотят от меня?!" — спрашивал он себя в ужасе, имея в виду авторов учебника, одновременно с деланной усмешкой подмигивая сыну: сейчас, сынок, мы расколем этот пример на мелкие скорлупки.

Хорошо, что всегда можно было позвать дочь и поинтересоваться: а ты как думаешь, моя маленькая, где тут разгадка?

Дочка при этом делала гримаску и, не глядя на брата, бросала: нам же объясняли в классе, чем ты слушал, не знаю.

Притом что в школу она пошла в шесть лет и всегда была самой младшей среди одноклассников.

А брат её, да, учился в том же классе, и был там самым старшим.

Чтоб забот было поменьше, родители когда-то отправили их в один первый класс и, в сущности, не прогадали.

Изначально имелся расчёт: если что не так, пацан сестру подтянет. Вышло наоборот, но жаловаться тут было не на что.

Когда утром отец семейства входил в детскую комнату, он всякий раз, заворожённый, застывал при виде старшей дочери.

Она спала с неизъяснимым изяществом — сон её был преисполнен той самой неги, о которой в своё время вполне всерьёз писали поэты.

"Вот она, эта нега — сподобился увидеть!" — понимал отец семейства, боясь сморгнуть.

Всё её, совсем ещё юное тело, от мизинчика на ноге до мизинчика на руке, — являло собой торжество природы, чистоты, свежести и необычайного Господнего вдохновения: старик явно понимал толк в красоте, и досуга у него было много. Видимо, он достигал какого-то, ему одному понятного, результата — и достиг же.

То, чего большинство взрослеющих и уже повзрослевших девушек безуспешно пытаются достичь, к примеру, позируя — сочетая непосредственность, привлекательность и наигранное очарование — она достигала, не думая, во сне.

Причём зайти к ней с тем же успехом можно было и в час ночи, и в пять утра — и всякий раз её положение было столь же удивительным и красивым.

Потом, когда отец семейства уходил на работу, дочь приникала к окну, и, почти без улыбки, подняв правую руку на уровне своего всегда розового личика, делала еле заметное движение двумя пальцами: указательным и средним — словно быстро брала три ноты на незримом пианино: указательный, средний, указательный — фа, фа-диез, фа…

“До свидания, папа”, — означало это движение; без восклицательного знака; восклицательные знаки были не по её части — её обязаны были расслышать и так.

Си, си-диез, си.

Отец закусывал губу: ничего безупречней этого движения он никогда не встречал.

Она придумала это движение сама. Она с ним родилась. Это было необъяснимо. Задачу по математике всё-таки можно было решить — но что было делать с тремя беззвучными нотами?

* * *

Что до пацана, то отец семейства угадывал его в любом фильме про чёрную Африку — только его пацан был белый, с пепельно-светлыми волосами, с голубыми, никогда не плачущими, всегда смешливыми глазами — но при этом резко похожий на неизвестных истории детей раса Тафари, на угандийских мальчишек, на малолетних рэперов Гарлема, на тонкоруких пиратов Сомали. Он просто не угадал с окрасом, природа пошутила — а так он происходил оттуда, явно, неоспоримо: весь состоящий из длинных гуттаперчевых мышц, непрестанно двигающийся, подтягивающийся на любой встречной перекладине, пританцовывающий на любой поверхности, чуть что набирающий стремительную скорость, словно учился бегать у какой-нибудь большой африканской, в пятнах, кошки, охотясь вместе с нею на антилоп, или, хотя бы, ей подражая.

Пожалуй, у него был, если это измерять в европейских просвещённых понятиях, несколько аморальный тип характера.

Отец так иногда думал о сыне, но жена не разделяла его мнения.

Не так давно дома случился скандал: пришла мать одноклассника и рассказала, что этот белоголовый африканец загнал её чадо в канализационный люк, сверху плевал, кидал камнями и, в общем, изгалялся, на просьбы о пощаде не реагируя.

Хотел этот люк закрыть, но, доведя одноклассника до истерики, лениво раздумал.

Разгневанная женщина обещала идти в суд.

Отец семейства при этих известиях впал в ступор, хоть он и был готов к чему-то подобному — но не до такой же степени; жена удивительно побледнела и не смогла вымолвить ни слова.

Никто не мог предположить в нём — улыбчивом, открытом и очаровательном — такого бессмысленного юного зверства.

Вечером оба родителя на него вперебой кричали — он впервые, лет, наверное, с трёх, расплакался — похоже, до его африканской природы наконец дошла подлость его поступка, и в итоге он сам себе удивился.

Разрешение ситуации оказалось ещё более сногсшибательным, чем преступление: через пару дней родители вернулись домой и застали сына — с этим самым, из канализационного люка, — за одним столом.

Сын нарезал колбасы, сыра, насыпал оливок прямо на стол, открыл — из отцовского погреба — лёгкое французское вино и угощал товарища.

Играла музыка, они оба хихикали, только этот голубоглазый сомалиец был трезв, причём как-то по-звериному, исподлобья, будто скрывая это; а дружок — поплыл.

Ругать их не стали, да и слов бы не нашлось подходящих; отец семейства и его жена спешно прошли в свою комнату, и там ухнули в кресла, друг напротив друга, молча.

Через минуту, не разговаривая, совместно решили: наверное, так и надо.

— Теперь, если матушка его подаст в суд, нас всех троих посадят, — медленно пошутила жена.

Никакого интереса к алкоголю пацан до сих пор не проявлял, и было понятно, что так он исправляет ситуацию — как умеет. Зато сам.

Ещё через неделю он, собравшись с духом, шёпотом сказал матери, что хочет пойти в церковь: исповедаться и причаститься.

Здесь отец семейства посчитал случившееся в канализационном люке темой закрытой.

По крайней мере, до следующего раза.

С женой же они давно миновали дни серьёзных столкновений, морских сражений, сухопутных атак, кавалерийских наскоков, воздушных дуэлей, тайных уколов, прилюдных пыток, отравлений и терзаний: не то чтоб теперь на это не оставалось сил — сил как раз было предостаточно, даже собаку завели — а просто стало скучно всё перечисленное воспроизводить: если поссориться, надо же через какое-то время всё равно мириться, исполнять все эти условности, подбирать интонации, подползать и отползать — такая невозможная трата времени, ох.

В общем, они наконец стали счастливы.

Счастье женщины (и её мужчины) состоит в том, что женщине, безусловно, известно о слабостях её любимого, но она никогда не позволяет даже себе указать на них; и уж тем более — ему.

Счастье мужчины (и его женщины) состоит в том, что он искренне убеждён: бытийный выбор, сделанный им когда-то, явно превышал на тот момент его провидческие способности, интуиции и вообще умение рационально мыслить — однако он угадал; причём едва ли не единственный раз в жизни.

В их случае всё было ровно так, а местами даже лучше. Они, к примеру, до сих пор любили целоваться.

* * *

Семья посетила крохотный городок вдали от магистралей в порядке бессмысленного отпускного передвижения.

Им нравилось проваливаться в невиданные обстоятельства — там есть шанс подсмотреть себя в неожиданном свете.

Застывшие на дальнем историческом отрезке населённые пункты отлично подходили для этого.

Церкви здесь стояли посреди ветхих, середины прошлого века, построек, казарменного, но уже окривевшего на все углы типа.

Вокруг построек были в бессистемном порядке расставлены… нет, пожалуй, навалены: старые авто, лишённые то колёс, то дверей, разнообразный строительный мусор, из которого ничего построить было уже невозможно, какие-то тачки, ржавые детские коляски — дети, которые в них катались, возмужали минимум полвека назад.

У дверей чёрных сараев во дворах стояли страшные самодельные мётлы, которыми, судя по округе, никто ничего не мёл. Предназначение их оставалось тайным.

Но церкви казались здесь счастливыми, как невесты, и действительно чуть покачивались в июльском мареве.

Всё это — церкви, чёрные казармы, окружённые сараями, автобаза и склады — выглядело так, как если бы изящный, позвякивающий серебряной ложечкой чайный сервиз стоял на столе посреди никак не соответствующих ему вещей, среди которых: старая пыльная изолента, навек заевшие в полуразмахе пассатижи, три смятых и отсыревших пустых спичечных коробка, жестянка с кривыми гвоздями, сломанный карманный фонарик.

Семья сидела на единственной парадной улице городка и жмурилась во все стороны: солнце светило отовсюду.

Щенку ничего подходящего в меню не нашли, а заказывать ему жаркое — перебор, даже при таком семейном обожании. Пока дожидались заказа, отец семейства сбегал в соседний продуктовый и принёс оттуда замороженную курицу в пакете.

Тут же проявилась прелесть провинциальных городков: попросили официанта отогреть курицу в микроволновой печи, он спокойно, хотя и без энтузиазма, это исполнил. Через пять минут потёкшую птицу вывалили из тарелки прямо на асфальт — и сделали курносому счастье.

Посреди иного мегаполиса едва ли возможно безнаказанно осуществить такое — а здесь всем было всё равно: прохожие, по виду — совсем деревенские — сначала приостанавливали шаг, видя крупное животное, а потом, поняв, что это всего лишь щен, дитя, — улыбались; мужики, числом три, сидевшие на той же веранде и негромко обсуждавшие своё мужицкое, даже не оглянулись.

Только одна бабушка с деревянной клюкой, шедшая минуту спустя, что-то нашептала недовольное — но, наверняка, возмутило её не варварское кормление собаки посреди улицы, а то, что одному зверю отдали целую куру.

Отец семейства тоже, признаться, ужасался такому аппетиту своего нового нахлебника, но выбора уже не было.

Семейству едва принесли салаты, а щенок уже закончил обед.

Несколько раз обнюхав асфальт, зверь снова улёгся: ток-ток-ток, тук, щёлк, взмах щеками, бом.

Так как они настоятельно просили у официанта нести всё и сразу, вскоре вокруг их стола началась карусель тарелок: дети в их семье отличались замечательным аппетитом. Тем более, семья добиралась сюда восемь с лишним часов.

Мужики с другого конца веранды даже покосились на такой пляс официантов: свежевыжатые соки, цыплята, грибки, заливное, жюльены, чаи и шипучие лимонады, свиные рёбра, говяжьи котлеты — похоже, в их городке так пировать без особого повода было не принято.

Отец семейства озирал происходящее, как поле битвы, где он уже победил — его солдаты, провожающие распахнутыми глазами прилёт каждого блюда, не оставляли сомнений в благоприятном исходе баталии.

На солнце блеснули ножи.

Звякнули вилки.

Как знамёна, взмахнули салфетки.

Мальчик пододвинул себе тёмный лимонад.

Старшая дочь нежным ударом пальчика запустила кружиться миниатюрную тарелочку с жюльеном, и на третьем кругу столь же лёгким движеньем остановила его.

— Мяу, — скомандовала младшая.

* * *

В гостинице застали пустую стойку — персонал отсутствовал.

— Товарищи работники! Приютите нас! — веселя детей, прошумел отец семейства во все стороны.

Кажется, проезжие люди не баловали этот городок посещениями.

Служащие — две степенные женщины — явились из потайной двери с таким видом, словно их никто не звал, и своё дело они знают без досужих напоминаний.

Отец с интересом проследил, как мощно они уселись на не совсем соответствующие их широте и силе стулья.

В провинциальных городках работу в гостиницах не доверяют тонконогим и легкокрылым девушкам: им ещё дослужиться надо.

Жена подтолкнула отца семейства: решай скорей вопрос, видишь, как я ужасно волнуюсь.

Он снисходительно подмигнул ей — не беспокойся, моя хорошая, всё в моих руках.

— ...и вот ещё что, — сказал отец с лёгкой барственной хрипотцой, — я видел на первом этаже номера с балконами. Нам нужен такой, потому что у нас, видите ли, щенок.

— С собаками нельзя, — сказала одна из женщин, но не грубо, а как бы даже немного извиняясь.

— Ну, какая это собака, — сказал отец семейства. — Собачий ребёнок, пять месяцев. Совсем кроха.

— Он может залаять — будут нарекания от соседей, — предположила женщина.

— Что вы, — засмеялся отец семейства. — Он спит всё время. Дитя же... — и, выдержав паузу, отец добавил для пущей убедительности: — Грудничок.

— А на улице его никак нельзя оставить? Привязать к дереву? — спросила женщина, хотя по всему было видно, что она уже дала слабину: “грудничок” на неё, похоже, подействовал — какая нормальная мать оставит беззащитное существо в одиночестве.

— Нет-нет, — тут уже вступилась жена, — он породистый, очень дорогой, его обязательно украдут, это просто невозможно. Пожалуйста, разрешите нам.

Работница окончательно сдалась — причём молча, как положено русской женщине. Всем своим одновременно уставшим и сильным видом она говорила: что поделать, я предупреждала вас, и всё дальнейшее будет на вашей легкомысленной совести.

— Мяу, — сказала младшая.

— Что у вас там? Ещё и кошка? — спросила женщина, привставая из-за стойки.

Младшая тут же спряталась за отца.

— Папа, щенка надо забрать, щенка! — вперебой закричали старшие дети, когда семья двинулась к номеру, но отец весьма ощутимыми толчками заставил их умолкнуть.

— Тише! — шипел он. — Без вас разберусь.

— Па-а-ап… — пожаловалась на применения лёгкого насилия старшая дочка, когда он уже открывал комнату (ключом, естественно: здесь по-прежнему выдавались ключики, с матерчатыми поясками, чтоб можно было повесить на гвоздик).

— А не надо встревать, — примирительно сказал отец дочке, озирая номер. — Ты же видишь, они сидят там вдвоём, эти работницы, и едва только увидят нашего королевича, тут же нас и выгонят отсюда.

Номер, на удивление, оказался вполне приличным: кроватки, коврики, шкафчики — всё чистенькое, белое, будто игрушечное.

— И что же делать нам? — всё ещё волнуясь и не веря в удачу, спросила жена.

— Сейчас мы попробуем его прямо на балкон затащить! — поделился решением муж.

Семья ринулась на балкон, задумка показалась всем чудесной и простой в исполнении, но…

Балкон не открывался: только две маленькие форточки. В них разве что нос королевича мог пролезть. К тому же этого битюга ещё поднять надо было на эдакую высоту.

Минутку повалявшись с детками на диване, отец семейства пошёл как бы покурить, а на самом деле проследить за служащими гостиницы.

Если они отсутствовали, когда семья заявилась, — что бы им помешало уйти снова.

“Наверное, коньячок потягивают в подсобке”, — предположил отец.

Хотя, признаться, внешне женщины выглядели безупречно трезвыми.

За стойкой их не было — отец обрадовался, но тут же выяснилось, что они обе вышли покурить: похоже, здесь это не воспрещалось. Или не было поблизости вообще никого, кто мог бы изумиться подобному поведению работников.

Пришлось отцу пойти вроде как по делам к своей машине.

Щенок, услышавший приближение знакомых шагов, встрепенулся и, похоже, встал на ноги в багажнике, ожидая свободы и воздуха.

Не сказать, что машина раскачивалась — но даже со стороны было заметно, что внутри её находится крупное и, возможно, опасное существо.

Опасливо скосившись, отец семейства с удовольствием обнаружил, что женщины вернулись в здание.

Сделав несколько шагов влево, он встал ровно напротив входа — благо, двери в гостиницу не закрывались на такой жаре, — и увидел, что за стойкой никого нет.

Теперь надо было всё делать быстро.

Он чмокнул сигнализацией. Он открыл багажник. Он сдавленным голосом скомандовал щенку: “Тихо!” Он помог ему спрыгнуть. Он скомандовал всё тем же сдавленным голосом: “Сидеть!” От удивления щенок слушался. Подцепляем поводок к ошейнику. Всё, вперёд.

Отец семейства напоминал себе разведчика.

Холл был пуст.

Они почти бежали по коридору, оставалась всего одна дверь до их номера, когда за спиной раздался голос:

— Боже мой, кто это?

Отец семейства медленно развернулся:

— Это наш щенок! — ответил он, сияя лучшей из своих улыбок.

Женщина вздохнула и махнула рукой:

— Щенок… Телок!.. — и когда уже мужчина в сопровождении собаки, мешая друг другу, втискивались в дверь, прикрикнула. — Пусть только залает!

В номере все бросились обнимать щенка, словно не видели его три недели.

На радостях отцу семейства достался отличный поцелуй жены.

— Всё в порядке? — ещё раз переспросила она, лучась так, словно опять влюбилась — и вот ей колечко преподнесли.

У отца всё было в порядке.

* * *

По городу нагулялись до томной и ласковой усталости; в пути поочерёдно нашлись: карусель, покосившийся дом советского поэта с мемориальной табличкой и гвоздичкой под ней; памятник родившемуся здесь маршалу — мощный подбородок, густая бровь; лавка старьёвщика; лоток с двенадцатью видами мороженого и, наконец, — дети, вот колонка, быстро вымыть руки, — краеведческий музей.

В фойе музея была нарисована красногвардейская тачанка, у трёх коней при пересчёте обнаружилось тринадцать ног, что до цивилизации — то в этом городке она совершила полный круг, так как в музейном наличии были скелет тираннозавра, челюсть кроманьонца, грудная клетка неандертальца, скифская посуда, останки гота, сармата, византийского воина, печенега и ордынца, лодка заблудившихся викингов соседствовала с лодкой поморов, имелись мушкетёрский плач, стрелецкий кафтан, кивер в пять вершков, британский штуцер, гусеница "Тигра", пулемёт "Максим" — натуральный, с заправленной лентой; до смешного маленькие ботинки Гагарина; авторучка действующего главы государства.

Семья вышла из музея, преисполненная знаниями и впечатлениями.

Дождь нагнал их возле самой гостиницы, они забежали под крышу едва успевшие промокнуть — в положенной такому случаю радости и суматохе.

— Давайте, давайте! — приветствовали их женщины на конторке, как родных.

Коньячка они, кажется, всё-таки, выпили.

Пришло время выгуливать щенка — и отец семейства, уже освоившийся в этой гостинице, спокойно повёл того по коридору, и его никто не наругал на этот раз.

— Смотри, какой, — не без гордости кивнула головой одна из служащих гостиницы второй, которая ещё не видела королевича.

— Ой, да, — ответила вторая.

На улице, пока щенок крутился в кустах, отец семейства переставил машину поближе к окну их номера.

Машина была новая, дорогая, вместительная — во всём городке за минувший день ни одной такой он не видел.

Обратно щенок заявился, естественно, с грязными лапами, отец семейства пытался их оттереть, но русские женщины сказали: ладно уж, иди, вымоем.

В номере старшие дети играли в какую-то затейливую игру, громко произнося никак не связанные друг с другом слова.

Жена сидела на балконе.

Вид у неё был неожиданно печальный.

— Ну что ещё? — спросил он, вздохнув.

— Ты не заметил? — спросила жена с вызовом.

— Ну? — спросил он ещё раз.

— Она вообще не разговаривает, только мяукает, — жена каким-то словно судорожным движением погладила младшую дочку по голове. — За весь день не сказала ни одного слова! Она полгода назад больше разговаривала!

Отец семейства помолчал с полминуты.

— И что нам предпринять? Вот сейчас? Что? — спросил он.

— Да что ты можешь предпринять! — махнула жена рукой на него.

Это был неожиданный удар.

— Я?! — спросил он, и почувствовал, что задыхается.

Дети в комнате даже прекратили игру.

Младшая вдруг заплакала вхлюп: поняла, что речь про неё.

И так горько, так искренне.

Родители — сразу оба — бросились её успокаивать.

Перенесли дитя в комнату, и там по очереди целовали, и старшие тоже присоединились с поцелуями и ласками, так взрослые и помирились.

— Извини меня, извини, — попросила жена.

— Что ты, что, разве я — что? — отвечал он.

Несколько минут подряд они вели такой диалог, и наслаждались им.

Потом решили выпить чаю на радостях.

На балконе вдруг залаял щенок — каким-то непривычно взрослым, стервенеющим лаем.

Кинулись туда: он встал на задние лапы и лаял куда-то в темноту.

Там не горели фонари, и отец семейства долго всматривался, пока наконец не рассмотрел, что кто-то быстро пошёл прочь от их машины.

В дверь постучали.

Теперь уже определённо чувствовалось, что коньяк был опробован служащими гостиницы — и, более того, допит.

— Мы же предупреждали! — на высокой ноте начала стучавшаяся.

— Я понял, понял. Сейчас намордник надену.

— Кому? — не поняла женщина. Глаза её вспыхнули, она выдохнула, как перед прыжком.

Отец семейства поскорее закрыл дверь.

За дверью словно бы начало закипать что-то — густое, наваристое, бурное: это русская женщина готовилась к скандалу.

— Знаете что, — вдруг осенило его. — А давайте себе устроим ночное путешествие? До следующего городка всего двести километров — мы за три часа доедем. В полночь будем на месте. Там, между прочим, я знаю не такую вот гостиницу — а место, где внаём сдаются отдельные, обнесённые забором, домики! Возле каждого домика — палисадник! Представляете? Королевича заселим в палисадник — и уляжемся спать. А завтра утром не нужно будет ехать никуда — сразу отправимся на прогулку! О, какие там красивые места!.. А то здесь ещё зеркало свинтят за ночь, прохиндеи…

* * *

Через пятнадцать минут они, безусловно довольные новым планом, двинулись в путь.

Карусель застыла, едва различимая, посреди парка. В один из поручней на карусели старший сын засунул фантик. Как долго хранятся эти фантики в карусели? Судя по краеведческому музею, здесь ничего не пропадает.

Музей освещался одной слабой лампочкой на двери.

Лавку старьёвщика уже не высмотрели.

Бюст маршала выглядел так, что на его месте мог теперь оказаться невесть кто и с каким угодно выражением лица: лучше и не приближаться, а то мало ли.

Машин на улице почти не было, одинокий, проехал навстречу таксист. Свет в салоне такси был зачем-то включен, поэтому водителя можно было рассмотреть. Он был щекаст, усат, смугловат — нерусская рыба в аквариуме “жигулей”.

Отец семейства сверялся с памятью, вспоминая выезд.

Ничего сложного в таких городках, как правило, не бывает — двигайся по главной, и вот уже дома отстали, шиномонтаж, закрытый пост автоинспекции, и — во тьму уходит призывная загородная дорога.

Вылетит на миг синий плакат с надписями в столбик: Рязань, Казань, Сызрань, или там, скажем, Тамбов, Ростов, Таганрог, и дави себе на педаль, рано или поздно прибудешь в один из перечисленных городов.

В машине царило лирическое настроение: в багажнике сопел пёс, посредине сидела старшая девочка и смотрела прямо на дорогу и несущиеся к ним столбы; мальчик, сидящий за материнской спиной, смотрел вправо, где лежали поля; а в кресле, слева, за отцовской спиной, сидела младшая, с характерным для детей насупленно-важным видом.

Никто не спал.

Играла музыка: трубач следовал за удивительной мелодией. Казалось бы, мелодия должна была исходить из трубы — куда-то вовне, но создавалось ощущение, что, напротив, мелодию, уже существующую в пространстве, просто свёрнутую клубком, он затягивал к себе, и она распутывалась, распутывалась, распутывалась, создавая в небе кружева, и втекала в горловину трубы.

— Пустая трасса, — сказал отец. — Надо же.

Прошло десять минут, и он окончательно осознал крайне неприятную вещь: из города вослед за ними выехала машина, “девятка”, и с тех пор висела на хвосте.

Он пробовал её пропустить, сбрасывая скорость, но она не обгоняла.

Давил на газ — но та с лёгкостью выжимала сто сорок.

С большей скоростью по чёрной незнакомой дороге, к тому же не располагавшей к подобным скоростям, было ехать опасно. Тем более что их пару раз тряхнуло при перелёте канав.

— Ну куда ты так разогнался, — мягко посетовала жена. — Приедем чуть попозже, ничего страшного. Не Новый год.

— Ничего страшного, — повторил он, теперь уже постоянно косясь в зеркало заднего вида.

Оружия у него в машине не было. Даже ножа. Ни одного тяжёлого предмета. Отвёртка и та лежала в багажнике.

Он почувствовал, что во рту у него нет слюны.

Что руки заледенели и утратили гибкость.

Что едет он с отупевшим видом, и только сердце стало тяжелым и набухло кровью.

Как? Как быть?

Как быть?

Неужели так возможно?

А если свернуть и поехать прямо по полю?

Боже мой, ничего не видно, что там — какая обочина, не перевернуться бы сразу же, не застрять бы уже через пятнадцать метров.

Особенно будет глупо, если эта машина едет не за ними, а просто ...

...а он съедет на поле...

...и будет там до утра...

Но они не просто за ними ехали, нет.

Он ещё раз надавил на газ, и тут же "девятка" надавила, и почти сразу же стала выползать слева, идя на обгон.

Всё-таки обгоняет?

Он чуть притормозил, торопя в себе это, столь необходимое ему чувство облегчения — что всё сейчас закончится, и тогда — тогда станет окончательно ясно, как удивительна его жизнь, и всё происходящее: только ночами больше никогда, никуда не надо ехать.

Да, всё в порядке — навстречу двигалась машина, тоже, кстати, “девятка”, а в километре, кажется, стояла деревня: мерцали огоньки.

Машина, обогнавшая их, вдруг стала резко сбрасывать скорость — он едва не въехал в неё.

— Да что такое-то! — сказала жена. — С ума, что ли, они сошли!

Попытка обогнуть эту “девятку” не удалась — надо было дождаться встречной машины, но та тоже сбрасывала скорость, словно опасаясь чего-то, двигалась всё медленней, медленней, и подъезжала, похоже, уже на холостом ходу.

“Надо выскочить, позвать их на помощь!” — вдруг догадался он и уже тронул рукой дверь, когда вторая “девятка” вдруг остановилась сама — ровно напротив их.

— Что это? — спросила жена, хотя сама всё начала понимать. — Что им нужно?

В багажнике проснулся, встал и вдруг заскулил сенбернар.

Окно “девятки” напротив открылось, и появилась рука. Рука держала какой-то предмет. Наверное, оружие.

В голове отца семейства царила пустота.

Можно, наверное, было сдать назад, сдать назад, сдать назад… и что-то такое потом… на огромной скорости… на скорости, превышающей все возможности… улететь…

Но его машина стояла на месте, жизнь катилась прочь, и ещё жизнь, и ещё, и ещё.

Двигатель работал ровно, будто не замечая, что мир начинает осыпаться кровавой скорлупой, а внутри скорлупы — ничего.

— Что там, пап? — спросил пацан и, отстегнувшись, полез к младшей сестре: посмотреть в окно на нечто интересное, заставившее их остановиться.

Старшая сестра тоже, подумав, склонилась туда же.

Вдруг откуда-то из растрескавшейся памяти отца семейства выплыла рыба — щекастая, усатая, нерусская рыба — она несла один последний шанс из миллиарда.

Отец семейства левой рукой заблокировал двери машины, а правой, негнущимися пальцами, ткнул в потолок, наугад ища лампочку внутреннего освещения, — и тут же попал.

В машине вспыхнул свет.

Из "девятки" можно было увидеть три детских лица, прижавшихся к стеклу заднего левого окна.

Это продолжалось пять секунд.

Нервные клетки гибли в телах родителей с немыслимой скоростью.

"Девятка", стоявшая сбоку, взревела и, взвизгнув, рванула прочь.

Оставалась машина впереди.

Ещё пять секунд, и она, с места резко взяв, промчалась полсотни метров, следом, притормозив, в несколько стремительных приёмов, развернулась и улетела вслед за другой "девяткой".

На прощанье водитель этой машины пару раз успел щёлкнуть дальним светом, словно дал три резкие беззвучные ноты: фа, фа-диез, фа. "Пока, дурачок. Рули дальше".

…в салоне по-прежнему горел свет, освещая всю семью.

По лицу жены текли слёзы — при этом даже дыхание её оставалось ровным.

Трубач куда-то пропал, спрятался, перестал играть.

— Папа, хорошо, что ты им никого не отдал! — вдруг внятно, почти спокойным, только очень высоким голосом, безупречно выговаривая слова, сказала самая младшая.

Щенок, встав на задние лапы, высунулся в салон и вертел головой, тыкаясь в детские головы, облизывая им уши, затылки, щёки.

СЕМЬ ЖИЗНЕЙ

Утром выхожу к реке и трогаю воду, совсем чуть-чуть прикасаясь к ней, двумя пальцами, иногда тремя: щепотью.

Мало кто на земле чувствует себя так же хорошо, как я.

Просыпаюсь и думаю: как же мне хорошо. Засыпаю и думаю: хорошо.

Не спрашиваю отчего.

Не прошу ничего нового. Тихо прошу: оставь всё как есть хотя бы ещё немного.

Не ломай ничего, Господи. Даже не дыши.

На том берегу стоят деревья, каждое утро одни и те же.

Можно было бы сменить реку, сменить деревья — всего несколько движений: качнул воду, и отражение сломалось.

Хотя скоро зима, и отражения не будет вообще.

* * *

Развернулся и пошёл в своё расположение, не молодой, а, скорее, молодцеватый офицер, скоро дадут капитана, хотя зачем мне ещё одна звезда, выше мне расти незачем, я не люблю лишних забот — взвода мне хватает, свой взвод я помню по именам.

И тот взвод, что теперь, и тех, кто устал и ушёл, и тех, кто не здесь, и пропавших без вести — а это ещё целый взвод.

Всякий, кто воюет долго — воюет живыми и мёртвыми. Сначала мёртвых нет вовсе, потом их меньше, чем живых, потом их столько же, потом больше, потом вдвое больше, потом втрое.

В этот край расположения прилетало из 120-миллиметрового миномёта, а сюда из 152-миллиметровой гаубицы, причём вчера — взрывной волной захлопнуло дверь. Куривший на приступках Василёк, шестнадцатилетний боец, успел заскочить в коридор, и, оглянувшись на грохнувшую дверь, по своей привычке — как отлично воспитанный юноша — быстро и отчётливо сказал “спасибо!”. Хотя никого вблизи не было. Всех это рассмешило.

Мы, взвод быстрого реагирования, стоим в гостинице на южной стороне города.

Город бомбят с юго-запада и с востока, выезд пока есть только через северный микрорайон, но даже дорога в соседний посёлок с удивительным именем Радость — всё время забываю, как звучит “радость” на местном языке, — даже, говорю, эта дорога простреливается вдоль и наискосок.

Если в каждой воронке посреди асфальта, куда попала шальная бомба, поставить цветок, а в месте гибели одной или другой машины — крест, то от креста до цветка будет по этой дороге где минута езды, а где и меньше, но почти нигде — больше.

А расстояние от нас и до Радости — двадцать километров.

Когда иной раз летишь там, на обочине ещё томится, замерзая с непривычки, новопреставленная душа, ловит попутку, и удивляется, что никто не тормозит.

По трассе вдоль обочин стоят пробитые и сгоревшие машины — некоторые я узнаю: вот на этой "четвёрке" ездил Саха, полное его имя я так и не спросил, весёлый таксёр, худощавый, нос орлиный, "дай мне ствол — тоже буду их резать", — говорил: это было забавно — резать стволом; его, скорее всего, убили, хотя, может быть, утащили в плен, чтоб потом обменять под видом нашего бойца; или он сам уполз куда-то; но я всё-таки уверен, что убили.

Однажды он привёз нам добровольцев с границы, когда никто, ни один таксёр не хотел никуда ехать, какие бы я деньги не предлагал, а своей взводной "Волги" у нас ещё не было, вообще не было никакого транспорта. Между тем нас ждали на границе славные добровольцы — при себе у них были рации, новые карты, дымы, компасы, тактические перчатки, три бинокля — много полезных вещей, которых смертельно не хватало.

Я стал его уважать, Саху.

Он попросил у меня в дорогу гранату, я дал, "эргэзнку".

Когда вернулся, попросил ещё две. Тоже дал.

Пару раз залил его 92-м, у нас имелся запас.

Другой раз на той же трассе наша новоприобретённая "Волга" пробила колесо, а боец за рулём, тот самый

Василёк — ездил второй день, он даже не умел поставить запаску, а когда его отправляли, когда я его отправлял — он ничего не сказал об этом, дурак, — и Саха — я отлично представляю его в эту минуту — узнал нашу машину, затормозил, осмысленно поставив свою "четвёрку" вровень с "Волгой" — чтоб работать между двух машин, а потом, сверкая глазами и словно проклёвывая воздух носом, всё быстро сделал, никого не порицая, не забыв завернуть ни один болт — я потом проверил.

Они успели тронуться, и по ним начал бить всё проспавший снайпер.

— А я второй день за рулём! — всё повторял Василёк в расположении.

— Тебя спасло только то, что снайпер был снайпером первый день! — со своим восхитительным акцентом сказал Саха, как бы не желая шутить, но мы хохотали как сумасшедшие.

— Нет, он совсем косой был, даже я попал бы, я камнем лучше брошу, — серьёзно говорил Саха, будто не понимая, в чём причина нашего смеха; на самом деле он, кажется, всё понимал.

Он даже про то, что стволом нельзя резать, знал — просто у него была язва, ещё он хромал, и хорошо видел только одним глазом, а на правой руке у него отсутствовал указательный палец. В общем, он никак не мог воевать, но мы ему нравились больше, чем те, кто в нас стрелял.

Во дворе нашего расположения стоит "Гвоздика" — пушка на гусеничном ходу, которую мы, по легенде, взяли с боем, хотя, в общем, это ерунда, — их расчёт заблудился, они встретились нам на маршруте, спросили дорогу, думали — свои.

Так и спросили: а где здесь наши?

Никакого особенного мужества не потребовалось, всё произошло как-то по домашнему, давайте, говорю им, покажем дорогу; так и разоружили.

Я должен отчитаться военному коменданту, что взвод получил "Гвоздику", меня даже могут наградить, но "Гвоздика" дороже — её тут же отберут, поэтому проживём без награды.

Здесь всё сложно — здесь всё просто.

Меня вызвали по рации.

— Внимательно, — сказал я.

— На Лесной улице перебежки людей в форме, — передали с поста наблюдения.

Лесная находится на самой окраине, сразу за крайним домом улицы — посадка, а за посадкой — река.

В нашем районе по крышам высоток или на последних этажах, в квартирах, сидят мои бойцы, смотрят во все стороны.

Один пост у нас накрыли: мы потеряли двух парней — Метро и Чевару.

Пришла диверсионная группа и убила их. Метро зарезали, когда он открыл дверь, а Чевару застрелили. Потом бросили вниз, обоих, с девятого этажа.

Кто-то из них, рассказали нам, закричал, когда падал, значит — был ещё жив.

В каждом доме здесь остаются несколько местных: чаще всего пожилые люди, ехать им некуда.

На третий день пришёл старик из дома, где погибли бойцы, и сказал, что знает, кто навёл диверсионную группу.

Через полчаса мы взяли наводчика.

Постучались — сам открыл. Стукнули головой о стену, обыскали, сказали, что пойдёт с нами. Он очень аккуратно зашнуровал ботинки, а когда выходил, поцеловал портрет ребёнка на стене.

На допросе я рассмотрел его: невысокий, спокойный, руки сухие, ногти остриженные, с утра побритый. Только всё время как бы пожёвывал, это раздражало.

Очень скоро, почти сразу, он во всём признался — но без испуга, а тоже как-то равнодушно.

Он жил этажом ниже, чем наш пост, и в окно отследил, что в дом третий раз подряд наведываются одни и те же характерные ребята. Сумел подслушать условный стук, на который открывалась дверь предыдущей сменой. Собственно, всё.

Дал телефон, на который звонил.

Мы придумали вместе с ним текст, который он должен произнести, чтоб вызвать новую диверсионную группу.

Произносил всё при мне, совершенно невозмутимо. Я бы на его месте больше боялся.

Всё это время я был куда больше возбуждён, чем он.

Не было в нём ни подлости, ни суеты: отрешённый человек — смотрит, отвечает, пожёвывает.

Я ничего в нём не понял. Даже не пытался.

Диверсионная группа явилась, как заказывали, — и мы её прибрали.

Их было трое. Едва они вошли в подъезд, сверху, с пролёта второго этажа, им бросили под ноги гранату. Первый погиб сразу же, двое других выскочили на улицу, их застрелили.

Этот, из-за которого погибли Метро и Чевара, был нам больше не нужен. Я отвез его в комендатуру, хотя бойцы были против.

Трупы убитых я отвёз туда же — чужих мёртвых мы обменивали на своих мёртвых.

— Люди в форме проникли в детский сад на Лесной, — сообщили мне по рации. — Шесть человек. При себе имеют несколько РПГ. И ещё, кажется, "Василёк".

Это такой миномёт.

— Поехали, Василёк, с тёзкой знакомиться, — сказал я.

Наша "Волга" была белого цвета.

Мы сели в белую "Волгу".

В салоне было холодно, до зимы оставался месяц, но мы пока не мёрзли.

* * *

Что ж, алкоголик — не самый худший выбор.

У меня была "Волга" — я её продал, это последнее, что я продал, до неё ту же участь поимели все мои близкие, поголовно — я их сдал, как стеклопосуду.

Саму свою предыдущую судьбу я отдал за так, желая остаться вовсе без судьбы — но не получилось, тут же прицепилась ко мне новая — треморная, подслеповатая, беспомощная; но странным образом оказалась мне по размеру, подошла, я с ней скоро свыкся, даже полюбил.

В моём доме давно никого не было, и не будет уже, думаю.

Всякий интерес к женщинам я потерял, зато прибираться с похмелья — в этом есть своя поэзия, ты ходишь туда, потом ходишь сюда, потом ходишь туда, потом ходишь сюда, носишь какую-то одну вещь с места на место, допустим, чашку, попутно пихаешь тапок куда-нибудь к выходу, там должна быть его драная пара. Ты ничего не выбрасываешь, тебе дорого всё — а вернее, всё стало настолько малым, малоосмысленным, далёким, что выбросить хоть что-то становится целым делом.

Ты чувствуешь свою печень, тяжёлую, отравленную, бесконечно терпеливую, безответную, добрую — почти как мать.

Ещё ты чувствуешь свой мозг — прожжённый, выгоревший больше чем наполовину, уже ничего не способный запомнить, зато с такой замечательной лёгкостью всё забывающий: там остались последние картинки из детства, несколько важных слов, ну и книжки — которые я успел выучить, прежде чем всё это началось.

Некоторое время назад я ещё преподавал литературу, читал то в одном институте, то в другом, хотя уже был смешон многим, почти всем, но делал вид, что ничего этого не вижу, не слышу.

Всё было бы ничего, я почти был уверен, что всё ничего — но тот кислый запах, который ты приобретаешь, который сначала появляется на языке с похмелья, а потом пропитывает всего тебя, всю твою одежду, всю твою комнату, — этот запах не выведешь, его все чувствуют.

Я всегда приходил и уходил своими ногами, хотя делал это медленнее, всё медленнее, в самый последний раз я слишком долго открывал аудиторию, минуту, три, десять, падал ключ, я долго его поднимал, снова открывал, кто-то пришёл из деканата, забрал ключ, открыли, я поблагодарил, но меня всё равно уволили.

Человеку, чтоб потерять облик, вовсе не нужны годы печали и муки, он может успеть за неделю.

Такое лицо, впрочем, можно восстановить, а вот если стараться год, то есть, напротив, не стараться, а просто довериться своему новому призванию: стать ничем, — тогда результат уже не оспоришь, ты сам становишься этим результатом, становишься причиной и следствием, доказательством, моралите, эпилогом, эпитафией.

По сюжету где-то посредине должна появиться та, которая в тебя поверит, студентка, или тоже преподаватель, — которая вдруг спросит: “Это ведь вы? Тот самый?”

Но спасают живых, несчастных. Зачем спасать счастливых и мёртвых.

Я вёл уроки в самой отсталой школе города, на моих занятиях в конце концов стало так шумно, что в соседних классах учителя не слышали сами себя.

Я вёл поэтический кружок, пока однажды меня не разбудили пришедшие директор школы и вахтёр.

Теперь я прибираю квартиру, на подоконник прилетели голуби и топчутся там, я толкаю тапок и уже знаю своё счастье: у меня есть моя маленькая, беленькая, приговорённая печень ждёт — вы же любите руины, отчего вы находите, что разрушение — зло? Разрушение — работа, не хуже любой другой, она требует крепости духа и последовательности, не всякий справится с этим — может оступиться, пожалеть себя, ухватиться за край, выползти, скрежеща когтями, упираясь подбородком, зная, что если не сейчас — то никогда.

А я — я давно пускаю пузыри, смотрю на мир из-под воды, вы там ходите наверху, звуки едва доносятся, — здесь же ил, и водоросли не растут, только тапка, тапка ищет пару.

Нахождение этих тапок здесь необъяснимо — я их не ношу.

Я не принимаю ванну, не чищу зубы, я зарастаю самим собою, обрастаю расползающейся изнутри плесенью.

Когда-то я прочитал, что плесень способна пожрать сама себя: я пробовал на посуде, не очень получилось, наверное, надо было ещё подождать, однако в случае с самим собою торопиться некуда: сначала плесень меня съест, потом плесень съест сама себя, и не останется ничего.

Может быть, уже к этой зиме.

* * *

От меня не останется здесь ничего.
К сорока годам я заработал столько, что мог ещё десять лет только тратить — понемногу, естественно, но когда мне было нужно многое.

Всё время чего-то пугаешься, когда собираешься выпасть из географии головой вниз, а выясняется, что нет ничего страшного, для белого человека всё очень просто. Белый человек изначально поставлен в другие условия, чем люди других оттенков.

Люди других цветов всюду едут как гости, а ты можешь в любую сторону поехать как к себе, даже если ни один представитель твоего племени не оставлял тут следа.

Ты покупаешь билет — всего лишь билет, куцый листок бумаги — и вот у тебя пропуск за все пределы: тысячу лет жившие в твоей земле смотрели только на это небо, и о другом не догадывались, а ты имеешь забавный шанс сменить почву, воздух, ветер и воду, листву, насекомых, голоса окружающих; причём у тебя есть и обратный билет тоже — а значит, всегда имеется возможность вернуться: но выясняется, что незачем, всё наладилось, едва ты прибыл.

Снимаешь себе домик: аренда на месяц обойдётся немногим дороже чашки кофе, которую ты выпил, пересаживаясь с рейса на рейс в европейском городе, аренда на год стоит как твой последний велосипед; делаешь нехитрый подсчёт и хохочешь вслух — при таких раскладах ты можешь жить здесь, на берегу, как минимум сто лет, если только тебя не унесёт волной: ведь ты у океана.

Океан вздыхает и выдыхает, это никогда не сможет надоесть. Это как твоё собственное дыхание — разве от него можно устать?

Если проткнуть землю насквозь — сдвинешь люк на тротуаре и вылезешь посреди города, где родился твой отец, но пуповина не тянет тебя назад.

Наверное, пока ты тянул её через океан, она стала тоньше самой тонкой нити.

Здесь нет никого, кто тебя знает: невозможно, но факт.

А там, с той стороны океана, нет никого, кто пожалеет о твоём исчезновении; хотя мама, да. Но маме всегда можно отправить открытку, что-то наврать, мамы созданы для лжи, в каком-то возрасте они способны, как идеальные приёмники, настроиться на одну твою лживую волну — и слушать её бесконечно.

Ты идёшь себе по берегу. Мёртвые крабы в песке, нашествие медуз у океанского берега, шлюпки, рыбаки с выгоревшими лицами, глаза у них такие — словно они ни о чём не думают, хочется сказать, что они всё знают заранее — но нет, и не знают, и знать им незачем, ты можешь прожить тут годы и годы, и никто из них не заинтересуется, откуда ты сюда упал…

По утрам у меня много дел, я хожу навестить скелет кита.

Дальше располагается кафе на сваях, и когда туда поднимаешься и садишься за грязный столик, виден остров в океане. Я могу туда съездить, но торопиться незачем, чуть позже: через месяц, или через год, следующей осенью.

В кафе я провожу час, или больше, не знаю.

Рано или поздно, сразу после своего свежевыжатого апельсинового, я, не прощаясь, доеду в аэропорт, и так же легко переберусь на другой континент, получив ещё один листок бумаги с набором случайных цифр, но решение будет принято походя, спонтанно, просто потому что, к примеру, в соломинку попадёт косточка. Мало ли когда это случится.

После полудня на берегу появляются местные — как правило, юноши.

Они не купаются, большинство из них вроде бы не умеют плавать, и они никогда не загорают — просто идут вдоль берега в своих незаправленных рубахах, кудрявые ребята, и держатся за руки.

Никто из них не смотрит на меня.

Женщины здесь не очень красивы — по крайней мере те, что обитают в посёлке, где я поселился, — и это хорошо, женщины сокращают время, сбивают дыхание.

Поначалу все здесь кажутся детьми, равными перед любыми богами, но однажды я видел, как одна местная показала в кафе другому местному странный жест: провела указательным и средним пальцем правой руки по запястью левой.

Жест показался мне агрессивным — при всей внешней безобидности.

Увидев в другой раз тот же самый жест через неделю, а в третий раз через три недели, я наконец догадался, в чём дело. Так они говорят друг другу: “Видишь цвет моей кожи, видишь, насколько я белее тебя? Я почти белая — а ты совсем чёрный. Не ищи со мной удачи”.

По сравнению со мной они все тёмные — сливовых, или древесных, или угольных оттенков, или, скажем, цвета какао — в общем, я самый белый на этом побережье. На пятьдесят километров в обе стороны, а может быть, и на сто. Я ещё не знаю, я не ходил по берегу так далеко.

Когда погода особенно ясная, видны скалы — где-то у самого горизонта, наискосок от моего дома. Скалы посетим потом, сначала остров.

В моём домике нет телевизора, и я не знаю ни одной новости.

Какой в них смысл, если через неделю они уже устареют?

Иногда я нахожу на берегу газеты и безо всякого интереса разглядываю их. Там совсем нет знакомых лиц.

Наверное, зимой я куплю себе велосипед.

На велосипеде можно съездить в большой город, это вроде бы часа четыре неспешной езды.

Можно на такси, но лучше ни от кого не зависеть.

А на юбилей я приобрету машину: здесь есть машины моего детства, и есть машины, на которых передвигались мои любимые исполнители блюза или фанка: я видел это на обложках их виниловых пластинок. А есть машины, ловко составленные из машин моего детства и машин королей, чего там, регги.

Наверное, я хочу такую машину, чтоб она была с открытым верхом. Я буду возить на ней свой велосипед, когда он сломается.

Потом сломается машина, и я буду чинить её сам, я уже знаю, где находится авторынок.

На авторынке сидят люди с ничего не выражающими лицами, выгоревшими глазами, они совсем не торгуются.

Если эти люди приснятся во сне — то утром ты подумаешь, что тебе приснились птицы.

Птицы торгуют автозапчастями.

Я хочу научиться всем вещам лично, сам.

Недавно я понял, что, когда кричат птицы — не те, что с авторынка, а обычные, морские, — когда они кричат, это означает, что косяк рыбы идёт вдоль берега. Думаю, это известно здесь всякому ребёнку.

И что с того: зато это моё личное открытие, уже второе после жеста с указательным и средним пальцем, а я здесь всего… сколько?

Пойду посмотрю на себя в зеркало, попробую понять.

Здравствуй, ты кто?

* * *

Какая ты? — вопрос, который иногда теряет свою силу, но совсем ненадолго, а через час, или два, или на другой день он становится уверенным, становится навязчивым, становится невыносимым: напротив, всё остальное теряет смысл, только это остаётся важным: из чего ты, что у тебя, как ты всё это делаешь.

Всякий раз ожидаемое кажется невозможным, словно тебя отпускают в иное пространство. Странно, что никто не задумывается об этом: ты попадаешь в другого человека, ты ещё не становишься им, но ты стремишься туда, как потерянный, как осиротевший, как ребёнок на непогоде, и тебя пускают: иди. Иди сюда.

Чего ты хотел? Отогреть руки? Чего-то горячего? Только воды, и всё?

Может, ты выберешь себе то, чем хочешь поиграть?

Я хочу вот с этим поиграть.

Конечно. Бери.

Прерывается сиротство, дождь остаётся где-то там, холод где-то там.

Так много искренности возникает ниоткуда и сразу, так много честности и доверия. В обычной жизни разве получишь всё названное так скоро, так сразу — как будто тебе выдавали по ложечке, по три капли в день, и ты всё никак не мог разобрать вкуса, только цеплял зубами за олово, ощущения скудные и болезненные, хотелось хотя бы полный глоток сделать, а потом вдруг — хлынуло, и не знаешь, смеяться от радости или пить, пить.

И этот момент — угадывания: ты ведь до последнего момента всё равно не знаешь, да или нет, даже если уже сказали "да" — всё равно думаешь: а вдруг передумает, вдруг что-то не сойдётся, разладится, пойдёт не так, и она скажет, что это шутка, розыгрыш, "неужели ты не понял?"

Вы ведь знаете этот независимый, невозмутимый вид трезвой молодой женщины, когда она ничего такого не имеет в виду, — но просто зашла тебя проводить в номер отеля, оттого, что сегодня приставлена проследить, как пройдёт твой день.

С утра она встретила тебя на вокзале, у тебя дела в их нанизанном на транссибирскую магистраль городе.

Пальто, перчатки, одна была снята, чтобы поздороваться, холодные тонкие пальцы, затем холодная ароматная щека — европейцы целуются при встрече, мы же почти европейцы, только в Европе сразу целуются три раза, а у нас достаточно одного — одного касания щеки о щёку.

"Ты голоден?" — спросила она; сразу на "ты", хотя мы только переписывались.

Круглое, очень красивое лицо, с ещё юным, девичьим, доверчивым выражением глаз, заплетённая, почти до пояса, чёрная коса — так редко сегодня увидишь такое. Лёгкий, словно восточный акцент, пухлые губы: если в таких губах увидеть мягкую ягоду, то может закружиться, поплыть голова.

Днём случилось несколько встреч, какие-то люди, улыбки, новые рукопожатия — но что способно отменить память об этих утренних холодных пальцах, этой щеке.

Днём вы обедаете вместе, хотя она сразу предлагает: я подожду, у меня есть несколько звонков, — нет-нет, отвечаешь ты, потом звонки, просто посиди со мной, — вот, другое дело, — она наконец снимает пальто, ей помогает официант, платье на ней сидит отлично, вас провожают в совершенно пустой зал, вы садитесь у окна, — вина? — говоришь ты, — съешь что-нибудь, — предлагаешь ты, — морские гребешки, ты пробовала? — она пробует то, что ты ей предлагаешь.

Вы говорите о несущественном, о таком малом, но где-то прошла трещина посреди материка, или ледника, и откололась живая почва, и поплыла куда-то сама по себе, и где-то над землёй, в тревожном небе, сгущается влага, сгущается электричество.

К вечеру, уставшие, вы едете в такси рядом, плечом к плечу, и после какого-то твоего замечания она смеётся так, как, наверное, смеяться не принято: потому что — этот рот, эти белые зубы, этот язык — это всё вдруг становится видно, откровенно, бесстыдно.

На выходе из машины она вдруг становится чуть печальной; ну что, пришло время расставаться, она идёт проводить тебя в номер, хотя у тебя нет сумок, едва ли ты можешь потеряться, ты умеешь различать цифры, ты смог бы сверить число на своей электронной карточке и на двери номера, — “Вот...” — говорит она, заходя, как будто кто-то сомневался, что в номере есть всё, чему положено быть: кровать, лампа, зеркало, дверь.

Ты закрываешь дверь: щёлк.

Теперь та часть её и твоей жизни определённо будет — прошлой, будто бы отрезанной большими ножницами.

Любая эта встреча имеет все шансы, или очень многие шансы, или некоторые шансы прижититься, прикипеть, — потому что всё раскалено, всё течёт, всё расплавлено, — и к утру, или даже через час, в застывающем металле остаётся твой коготок.

Ты можешь безболезненно вырвать его — у тебя вырастет новый, её ранка тоже зарубцуется, — до какой-то поры всё лечится, — а можешь нет, не извлекать.

Потому что эта искренность, это доверие, этот восторг: разве возможно предать, забыть — разве ты заслужил такую щедрость, чтоб не отблагодарить за неё? А чем ты можешь отблагодарить — наверное, снова воспользоваться этой щедростью?

Или новой, другой щедростью?

Ты заявился в этот ресторан с друзьями, под вечер, разгорячённый и весёлый настолько, что мог показаться бешеным: и она, уже другая она, но столь же невыносимая, несносная, неизвестная, сидела там — самое смешное, что её приятель тоже был с нею, но ты же не ослеп, ты же сразу заметил, что они сидят через стол, и он время от времени бросает на неё короткий взгляд, а во взгляде и обида, и надежда, и жалоба, и желание повелевать, — но он совсем малолетка, пальцы длинные, грудная клетка недоразвитая, челюсти слабые, подбородок подрагивает, шея держится на двух птичьих жилах и ломком позвоночнике, — ты сразу забираешь у этого стола всё: внимание, право на первое слово, право на второе слово, право на третье слово, право на тему, право на заказ всего того, что ты хочешь заказать, разлить, зажарить здесь же, на глазах у всех.

Ощущение собственной силы настолько переполняет тебя, что ты ничего уже не замечаешь вокруг, и официанты, едва ты взмахиваешь рукой, подходят только к тебе, а этот, на двух птичьих жилах, вскрикивает, вскрикивает, а к нему не идут вовсе, он машет рукой, как утопающий — а тебе даже не надо вставать ему на голову, чтоб он пошёл ко дну, ему осталось быть — минуту.

Ты — ни о чём таком даже и не думая, уже знаешь, что круговорот влечёт всё вокруг тебя, — даже этот, покрытый белой скатертью, стол с недопитым коньяком и железными блюдами, где отражаются дурацкие лица твоих знакомых и товарищей. Все предметы и персонажи идущего вечера уже попали в бурун, но только ты выхватишь то, что загадал, из пузырящейся воды.

Едва ли не насвистывая, идёшь в туалетную комнату, — поднимаешь там крышку, обрываешь салфетку, застёгиваешься, — самым смешным оказывается то, что в этом помпезном ресторане общая прихожая в туалетные комнаты — с огромным белым зеркалом, белыми раковинами, белыми кранами, — и оказывается, что она, с этой своей мальчишеской причёской, с этой своей совсем не мальчишеской, но тонкой и юной фигурой, — она встала и пошла за тобой, через минуту после того, как ты поднялся, и теперь, крепко опираясь руками о раковину, нагибает голову и пьёт из-под крана, — не очень многим женщинам в мире пошло бы это, но ей оказалось к лицу, к осанке, — когда ты подходишь, она, очень быстро, быстрее взмаха крыла маленькой и быстрой птицы, взглядывает на тебя в зеркало, всё понимает — даже быстрее, чем ты сам, — тут же складывает на краю раковины руку на руку, как ученица, — пальцы сырые, успеваешь заметить ты, ногти покрашены бесцветным лаком, успеваешь заметить ты, — а сверху на руки кладёт свою голову, упираясь в руки острым подростковым подбородком.

Лицо её бесстрастно. Словно она ничего такого не имела в виду. Просто минуту назад закрыла на мягкий замок белую дверь сюда.

Всё в моей жизни — не многое, а всё, — служит зримым и незримым поводом для того, чтоб это случилось, а потом — следствием того, что это произошло.

Просыпаясь каждое утро, если я просыпаюсь один, а я стараюсь просыпаться один, я делаю что-то со своей жизнью, с самим собою, со своей, например, работой, — но вместе с тем, никакой другой цели у меня нет, кроме одной.

Меняются времена года, но я их различаю не по осадкам или температуре, а по тому, сколько завязок, шнурков или молний я обнаружил на этот раз.

Кажется, уже ноябрь.

Я не веду счёт, я никому не обязан отчитываться: если я забываю имена — я их забываю, если я их помню — я их помню, впрочем, имён слишком мало, они скоро кончаются, а потом часто повторяются, и я вспоминаю только эти самые неприметные жесты — рука на руку, бесцветный лак на пальцах, или самые маленькие слова: например, "Вот".

Это как разноцветные камушки, привезённые из путешествия: ты держишь их и чуть ворошишь в ладони, и создаётся такой звук, словно одна птица тихо уговаривает другую птицу.

* * *

Не надо меня уговаривать.
Все решения приходят сами. Я не опережаю ситуацию — я иду за ситуацией, след в след. Никакой интуиции — просто идёшь за ситуацией и не думаешь ни о чём другом.

Просто идёшь. Никогда не спешишь.

Потом ты оказываешься внутри ситуации.

Потом ситуация идёт за тобой.

Однажды то, что называется бесстрастным словом "политика", заменило мне всё остальное.

Всё стало ничтожным и малым в сравнении с ней; потому, наверное, что во всём этом меня совсем нет: нет моих амбиций, есть только стремление и долг.

Я видел, как мне проигрывают те, кто думали, что занимаются со мной одним и тем же.

Они совершали несколько ошибок сразу.

Они думали, что играют и со мной тоже — а я не вёл с ними соревнований.

Они делали какие-то ставки — а мне было всё равно, я просто шёл за ситуацией.

В их работе присутствовали они сами, их страсти, их побуждения, их обиды, в общем, там было слишком много человеческого — я же отсутствовал, я отменил себя.

Человеческое всегда проиграет.

Я так думал. Но это вовсе не означает, что всё обстоит именно так.

Люди предполагают, что, когда ты выходишь на митинг, или на любую трибуну, зная, что находящиеся в зале, на площади, на стадионе ждут тебя, — наивные люди уверены, что ты испытываешь какое-то чувство к самому себе, что всё это сродни особенному удовольствию.

А я не чувствую вообще ничего, я просто иду и делаю.

Я не люблю власть и не люблю атрибуты власти.

Видя людей, облечённых великой властью, я не могу разглядеть ореола над ними, я точно знаю, что предо мной всего лишь человек.

Ещё знаю, что это большое несчастье — оказаться в его тонкой шкуре, на всех этих перекрёстных взглядах, выносить непрестанные перегрузки.

Он человек, я человек, все люди.

Но я шёл за ситуацией, я попал в неё, и повёл её за собою.

Так сложилось, и я ничего по этому поводу не испытываю.

Некоторые из наблюдавших меня внимательно, чаще всего женщины, подозревают во мне ранимость, ломкость, — и думают, что эта моя отстранённость, кажущаяся закрытость, эта моя аритмичная жестикуляция — свидетельство их правоты.

Женщины — особенно женщины, с которыми ты никогда не был и не будешь близок, — часто объясняют мужчину исходя из той позиции, которую они занимают по отношению к нему.

Они, к примеру, далеки, но хотели бы стать ближе.

В итоге они произносят какие-то вещи, несколько расходящиеся с действительностью, — проще говоря, несут откровенную, неощипанную дичь.

Мужчина пожимает плечами: хорошо, пусть так, хотя это не совсем так.

Женщина довольно усмехается и говорит: ты всё скрываешь, на самом деле я попала в твоё самое потайное.

После этого она смотрит на тебя ещё ласковей, или ещё жалобней, или, несколько позже, ещё злее.

Надо сказать, что мужчины схожим образом объясняют мир — в зависимости от той позиции, что мир занял по отношению к ним.

Если мир не хочет близости с этим мужчиной, мужчина обвиняет мир в том, что он нелеп, глух, подл.

Мир пожимает плечами.

Мужчина говорит: на самом деле, я всё отлично вижу, нечего тут кривляться. Будь ты проклят, урод, — говорит мужчина миру.

Я не знаю, насколько я раним и что там с моей жестикуляцией — но я открыт куда больше, чем все известные мне здесь персонажи, и несколько раз уже переходил через те ситуации, которые раздавливали шедших до меня по тому же пути.

У меня не железные нервы, всякий мой поступок — это преодоление; просто я преодолеваю то, куда люди с железными нервами не ходят.

Политик — всегда человек, который в чём-то хотя бы раз виноват. Или не раз.

Однажды может появиться — но может и нет — человек, который не виноват ни в чём.

Сделать политическую карьеру в России просто — нужно иметь немного совести и приходить вовремя.

Я приехал к Деду — старейшему оппозиционеру, эксцентричному провидцу, — приехал с утра, на метро.

У подъезда, как обычно, стояли машины наблюдения.

Охрана Деда меня узнала, и я поднялся на шестой этаж.

Снизу уже передали в квартиру, что сейчас я буду звонить в дверь.

Меня впустили.

Дед был в пиджаке, в джинсах, в берцах на толстой подошве — седой, красивый человек с хриплым голосом. Если увидеть его мельком со спины, можно подумать, что перед тобой подросток. Потом он вдруг оглянется, и думаешь: о, я ошибся на сто лет как минимум. Вполне возможно, что на триста.

Он быстро и несколько удивлённо посмотрел на меня, словно выбирая, как отреагировать.

— О, — сказал строго, но довольно. — Кто приехал. Привет!

Мы поздоровались — он подал свою тонкую сухую руку, будто бы не очень свободную в движении, слишком прямую.

Вообще говоря, всю жизнь общающийся с людьми — подчиняющий себе людей и управляющий ими, — Дед ни с кем особенно не может, или не пытается сблизиться, по сути своей он, скорее всего, социопат.

В этом есть юмор, это меня смешит: мало кого я так любил на свете, как этого джентльмена, словно приехавшего в Россию на карете, — но не из прошлого или позапрошлого, и даже не из будущего, а откуда-то из перпендикулярной реальности.

Карета, естественно, чужая, на козлах сидят двое таких — не то матросов, не то бомбистов, — сущие черти.

Те, кто собрались в квартире Деда — я знал их всех по именам, каждый из них сидел в тюрьме, все вместе они просидели как минимум лет семьдесят, почти все они воевали, все вместе они навоевали ещё лет тридцать, — больше такой компании на всю Россию не было ни у кого.

“Кто это с вами?” — “Это мои ребята, сто лет стажа в аду”.

В своей манере Дед потирал ладони и посмеивался, быстро переводя взгляд с одного своего бойца на другого.

Они очень подробно обсуждали, чем отличаются дальняки в самых главных русских тюрьмах. О чём ещё могли они говорить, раз собрались столь обнадёживающим утром вместе.

Посредине столицы, как сообщила радиостанция на кухне, — ведущие вели себя так, словно у них в студии был ужасный бардак, и всюду валялись бумаги, — собрались полмиллиона человек.

— Ну что? — хрипло сказал Дед, таким голосом, словно собирался выпить в отличной компании, а потом сразу прыгнуть с обрыва в реку. — Пора ехать!

Мы спустились пешком — впереди охрана, сзади охрана, я шёл сразу за Дедом, разглядывая его рабочую кепку, его хорошо выбритый, серебрящийся сединой затылок.

На улице я поднял воротник: ветер показался мне слишком холодным.

Мы забрались в чёрную, пожившую, пахучую “Волгу”.

Путь тут же заблокировал вылетевший на бешеных парах джип.

Сзади, чуть медленнее, почти вразвалочку, подкатил другой.

— Что за бляди, — сказал Дед.

Из второго джипа вышел оперативник — туго сшитое лицо особого типа, — и пошёл к нашей машине.

— Открой окошко, может, он мелочи хочет попросить, — сказал я водителю "Волги".

Наверное, всё началось в тот день. Или днём позже.

Теперь будет много версий.

* * *

Правда всё равно одна, но это не помеха, чтобы думать о ней, то подходя насколько возможно близко, то отступая на шаг или на два.

Правда учёная, правда природная, правда государева, правда войсковая, правда любовная — всякая есть, и вливается в общую правду, и ни одну из них отрицать не стоит, отметая, как помелом, единой духовной правдой.

Всякой иной гордыни тяжелей — гордыня веры.

У многих людей всё это складывается так, как, помните, в детстве иной раз кричали — кто на меня, когда я с первым в классе хулиганом и борцом заедино? — так и некоторые верующие свысока глядят: кто на меня с Иисусом Христом? Я, мол, душу спасаю — а вы что?

Да всякий спасает, кто не губит.

Я даже могу молиться в то время, когда думаю: молитвы не мешают мне думать — иной раз раздумаюсь так, что голова под скуфьей мёрзнет.

Облетел я ещё в юности, и таким образом вернулся к изначальному, ещё византийскому, виду священника — на маковке у меня гумёнцо, или, как иначе говорят, попова плешь, только она сама по себе проявилась, выстригать не пришлось.

Гумёнцо стынет — я думаю и думаю: вот-вот и настигну самое главное своё открытие, найду слово — и в Царствие Божие загляну одним глазком.

Но тут ненаглядная моя матушка, замасленные руки лампадной тряпочкой вытирая, отвлекла меня: пришёл, говорит, Володечка.

Опять, наверное, пьяный — и как всегда, в пьяном виде весёлый, отзывчивый — а ведь зашивался.

В деревне остался едва ли не единственный толковый мужик, его как в детстве начали звать Володечкой, так с тех пор и не перестали.

Я моложе Володечки — но отчего-то мне кажется, что и я помню его ребёнком: ласковым, голопузым, безгрешным.

Всех, кто живёт здесь, — помню детьми, каждую старушку, каждого старичка.

Иногда они путаются с теми детьми, что ещё не постарели, а только растут, и приходят в храм, иногда целым классом, с бантами — с нашей деревни и с трёх соседских — потому что школа тут одна на всех.

— Здравствуйте, милые, я очень рад вас видеть, — говорю я детям, выходя на паперть.

— И мы рады, — искренне отвечают они хором: голоса, как у ягняток.

Говорю с детьми, а вижу и слышу Володечку, старуху Зинаиду, бабушку Валентину, соседку Лидию, и деда Тимофея, и старика Емельяна, и беспутного Сёмку, и, запамятовал, ту, что всегда стоит впереди, у клироса… — да всех, всех.

Володечка между тем топтался во дворе, в грязных сапогах, в расстёгнутой куртке — на лице улыбка, которая всё время будто сползает, но при виде меня Володечка подтягивает её, как штаны. У него давно нет нескольких передних зубов, но ему даже идёт.

Я поторопился и едва в тапках ему навстречу не выкатился; матушка смеётся: обуйся хоть, говорит, там грязи по пояс.

— Батюшка, я камушков уложил на дороге, — сразу начал Володечка отчёт, чтоб не кланяться, — уложи-ил, да, а то расползалась совсем. Мосток-то через речку на той неделе буду крепить, мосток ну-ужен, — говорил он мне, вытягивая слова, словно убеждая, как нужен мосток.

Как будто это не я ему твержу с самой весны: почини мосток, почини мосток, люди идут ко храму, и приходится давать круг по лесу — а всем ли по силам такие круги. Иной бабушке осталось ещё три круга до самыя смерти, ей уже экономия нужна, впору шагомер подвесить.

Я здесь и за священника, и за председателя сельсовета, и за лечащего врача, и за социальную службу, и за почтовую иногда, и ремесленную мастерскую открываю, и за няньку сойду при случае.

А ведь когда начинал служить — даже колокола не было у нас.

Помню, крестный ход на Пасху веду, и колокольный, красный, пасхальный звон в своём мобильном включал, держа над головою: динь-дон-динь-дон.

Храм стоял ледяной, пола не было. На крыше дерево выросло — берёза.

К службе приходило то пять прихожан, то двое, то одна моя матушка.

На исповедь не шли — боялись.

Хорошо хоть, на меня смотрели с тёплой стыдливой тоской — в той тоске была надежда, что придут в храм однажды.

Мы с матушкой тогда снимали комнату в котельной — своего дома не было. Приехали — она с чемоданом на колёсиках, я с рюкзаком. Зарплаты сельскому священнику не полагается. Как выжили — и не помню теперь.

Колодец освятил селянам — рады. Родник, просят, освяти. И родник освятил.

Дитя покрестил, молодых обвенчал.

Велосипед себе купил старенький.

И как я на велосипеде по деревне прокатился — борода в одну сторону, ряса в другую — так и пошли ко мне понемногу.

— Хорошо, — говорю Володечке. — Сделай всё. Силы слабые наши, а любви Господа соответствовать надо.

— Силы сла-абые, — соглашается Володечка и улыбается во весь весёлый беззубый рот.

Он одного ребёнка от третьей жены сдал в детский дом, второй, от первой жены, спился и в четырнадцать лет умер, третий, от первой жены, удавился прошлым летом, осталось ещё двое, от других жён.

А кроме Володечки в моей деревне никто больше рожать не хочет.

Одного едва вынянчат, и всё — устали, хоть одеялком прикрой и спать положи до пенсии.

Жаловалась одна: “Глядя на Володечкино потомство — можно напугаться и за своё, нерождённое”.

Успокаивал как мог — вроде поверила, теперь всякий раз на живот её смотрю, как встречу. Не растёт пока живот — веры не хватает, чтобы прижилось там семечко.

— Матушка, — говорю своей, домой заходя, — а дайка Володечке на мосток. Дай, дай, не перечь.

Земная жизнь ничтожна, все блага её отнимаются смертью.

Покайтеся и веруйте во Евангелие, прошу селян, покайтеся, приближися бо Царствие Небесное.

А они всё смеются, дети малые, всё ходят кругами, а круг всё меньше — шёл, шёл и в циркуле карандашик — цок! — и надломился, и пошла линия вкривь, вдруг истончилась до волоса, и здесь же прекратилась.

Объясняю: неисповеданные грехи — они легко повторяются: ты на них свет не пролил, а раз тебя никто не видел, то ты и сам на себя вроде бы и не смотрел.

А то и пугаю.

Сколько, говорю, легло в землю без причастия: земля отравлена, скоро пойдёт волдырями, рвами, траншеями.

Ничего не боятся.

Нет, иной раз придут в храм — сделают напуганное лицо, — а выйдут: и сразу хвост задерут, и побежали. К вечеру — язык на плечо, жаром дымится.

Язычники, одно слово.

— Живые, — корю их, — не пойдёте ко мне, так мёртвые придёте уже на второй день: попросите, чтоб помолился — никому не нужны окажетесь. Мука вам будет неземная, несравненно хуже всякой земной.

Ночью приснилось, что вся моя деревенька попала в ад: и Володенька, и старуха Зинаида, и бабушка Валентина, и соседка Лидия, и дед Тимофей, и старик

Емельян, и беспутный Сёмка, и та, имя забываю, что всегда стоит первая, у клироса, и вся детвора тоже.

Потом во сне случился сбой, но без шва, и сразу началась другая картина: приехала за мной чёрная "Волга" и белая "Волга", встали прямо во дворе, где днём стоял Володечка в грязных сапогах и обещал починить мосток, — а из машин никто не выходит: и час, и два.

И дыхания нет на стёклах — как будто внутри мёртвые приехали.

С утра смешно пересказывать, а ночью — страх меня сковал и едва не победил.

Так не плакал никогда — как во сне.

Проснулся, а все глаза сырые.

Матушка, завтрак накрыв, спросила:

— Ты чего, батюшка, припух?

И то, думаю, подходя к окошку и глядя на деревню: разве здесь есть кто-то, кого бы не простили.

И заново, в молитве, начал всех перечислять, кого помню — и сильных, и слабых, и расслабленных, и одержимых, и трезвых, и похмельных, и род позабывших, и выродившихся вовсе, — а я всех помню, всех.

* * *

Утром я выхожу к реке и трогаю воду, совсем чуть-чуть прикасаясь к ней, двумя пальцами, иногда тремя: щепотью.

Просыпаюсь и думаю: как же мне хорошо. Засыпаю и думаю: хорошо.

Не спрашиваю отчего.

Не прошу ничего нового.

Только говорю: оставь всё как есть хотя бы ещё немного.

Можно было бы сменить реку, сменить деревья — всего несколько движений: качнул воду, и отражение сломалось.

Хотя скоро зима, и отражения не будет вообще.

Но разве имеет значение только то, что случилось?

Неслучившаяся жизнь — по её встречам и её разнообразным событиям можно тосковать, можно даже ностальгировать, и эта ностальгия имеет особенный вкус.

А можно всё это презирать, вот эту несбывшуюся жизнь — первую, или вторую, или третью, или какую-нибудь ещё — презирать, и радоваться всему тому, что не случилось с тобой, обошло стороной, сберегло тебя.

Или не сберегло.

Литературно-художественное издание

ЗАХАР ПРИЛЕПИН

СЕМЬ ЖИЗНЕЙ

Рассказы

18+

Содержит нецензурную брань

Заведующая редакцией Елена Шубина

Художник Андрей Бондаренко

Редактор Алексей Портнов

Художественный редактор Елисей Жбанов

Корректоры Максим Кривов, Екатерина Комарова

Компьютерная вёрстка Елены Илюшиной

http://facebook.com/shubinabooks

http://vk.com/shubinabooks

Подписано в печать 10.05.16
Формат 84x108/32.
Усл. печ. л. 13,44.
Доп. тираж 5000 экз.
Заказ № 3752.

Общероссийский классификатор продукции
ОК-005-93, том 2; 953000 – книги, брошюры

ООО «Издательство АСТ»
129085, г. Москва, Звездный бульвар, д. 21, стр. 3, комн. 5
Наш электронный адрес: www.ast.ru
E-mail: astpub@aha.ru

«Баспа Аста» деген ООО
129085 г. Мәскеу, жұлдызды гүлзар, д. 21, 3 құрылым, 5 бөлме
Біздің электрондық мекенжайымыз: www.ast.ru
E-mail: astpub@aha.ru

Қазақстан Республикасында дистрибьютор және өнім бойынша арыз-талаптарды қабылдаушының өкілі «РДЦ-Алматы» ЖШС, Алматы қ., Домбровский көш., 3«а», литер Б, офис 1.
Тел.: +7 (727) 251 5989, 90, 91, 92, факс: +7 (727) 251 5812, доб. 107
E-mail: RDC-Almaty@eksmo.kz
Өнімнің жарамдылық мерзімі шектелмеген

Отпечатано в АО «Первая Образцовая типография»,
филиал «УЛЬЯНОВСКИЙ ДОМ ПЕЧАТИ». 432980, г. Ульяновск, ул. Гончарова, 14

Захар Прилепин

НЕ ЧУЖАЯ СМУТА

Один день — один год

Книга «Не чужая смута» посвящена украинско-русской трагедии 2014 года. Репортажи, хроника событий, путевые очерки из поездок по Новороссии тесно переплетены с размышлениями о русской истории, русской культуре и русском мире.

«Этот год назревал, и однажды посыпался как град.

…С ноября 2013-го, с возникновения Евромайдана в Киеве я вёл записи чужой смуты, ставшей смутой своей, — не столько описывая события, сколько рассматривая свои ощущения, главным из которых было: "Это уже случалось с нами! Это не в первый раз!".

Выяснилось, что самые разнообразные события из русской истории связаны с происходящим напрямую, даже если имели место сто или тысячу лет назад. Что русская литература, воззрения и суждения национальных классиков удивительным образом иллюстрируют всё, что мы видели, слышали и пережили в течение года.

Мне не стыдно за сказанное мной — и я по-прежнему убеждён, что глаза мои были трезвы, а суждения — разумны.

Тем же, кто думает совсем по-другому, скажу одно: я смотрю на всё глазами того народа, к которому имею счастье принадлежать».

Захар Прилепин

Захар Прилепин

ГРЕХ

Маленький провинциальный городок и тихая деревня, затерянные в смутных девяностых.

Незаметное превращение мальчика в мужчину: от босоногого детства с открытиями и трагедиями, что на всю жизнь, — к нежной и хрупкой юности с первой безответной любовью, к пьяному и дурному угару молодости, к удивлённому отцовству — с ответственностью уже за своих детей и свою женщину.

"Грех" — это рефлексия и любовь, веселье и мужество, пацанство, растворённое в крови, и счастье, тугое, как парус, звенящее лето и жадная радость жизни.

Поэтичная, тонкая, пронзительная, очень личная история героя по имени Захарка.

Александр Терехов

ДЕНЬ, КОГДА Я СТАЛ НАСТОЯЩИМ МУЖЧИНОЙ

«День, когда я стал настоящим мужчиной» – книга новых рассказов Александра Терехова, автора романов «Каменный мост» (премия «Большая книга») и «Немцы» (премия «Национальный бестселлер», шорт-лист премий «Русский Букер» и «Большая книга»).

Это истории о мальчиках, которые давно выросли, но продолжают играть в сыщиков, казаков и разбойников, мечтают о прекрасных дамах и верят, что их юность не закончится никогда. Самоирония, автобиографичность, жесткость, узнаваемость времени и места – в этих рассказах соединилось всё, чем известен автор.

Захар Прилепин

ПАТОЛОГИИ

Окраины Грозного. Вторая чеченская. Отряд молодых, весёлых, злых омоновцев приехал на войну.

Святой Спас — тихий городок, затерявшийся среди русских холмов и равнин. Шестилетний мальчик, нежно и ранимо проживающий своё детство. Выросший юноша, неистово любящий, до крови ревнующий.

Границы между бывшим и настоящим, между миром и войной — стёрты, размыты. Главный герой, Егор Ташевский — "человек хрупкой психики, робкой смелости", — не умеет вписать войну в своё представление о нормальном.

"Патологии" — целый мир, в котором есть боль, кровь и смерть, но есть и любовь, и вещие сны, и надежда на будущее.

"Патологии" — роман, открывший России Прилепина-прозаика. Роман о человеке на войне и о войне в человеческом сознании.

Захар Прилепин

САНЬКЯ

Тихое воскресное утро в Москве начала "нулевых" взрывается криками "революция!", "война!", "любовь!": это марширует "Союз созидающих", ватага молодых романтиков, ломающих мир об колено. Они живут в дурное, неправедное, нечестное время — и не хотят с этим мириться. Они живут быстро и готовы умереть молодыми, готовы погибнуть за свои мечту и правду.

Шумные митинги, драки, захваты администраций, — и покой полузаброшенных деревень, где доживают свои дни последние старики и где пытается найти приют главный герой, Санькя, — разительно непохожи; но и наивная революция, и умирающий мир русской деревни одинаково обречены.

"Санькя" — знаковый роман "двухтысячных", горьковская "Мать" XXI века.

Захар Прилепин

ОБИТЕЛЬ

Соловки, конец двадцатых годов. Последний акт драмы Серебряного века. Широкое полотно босховского размаха, с десятками персонажей, с отчетливыми следами прошлого и отблесками гроз будущего — и целая жизнь, уместившаяся в одну осень. Величественная природа — и клубок человеческих судеб, где невозможно отличить палачей от жертв. Трагическая история одной любви — и история всей страны с ее болью, кровью, ненавистью, отраженная в Соловецком острове, как в зеркале. Мощный метафизический текст о степени личной свободы и о степени физических возможностей человека.

Это — новый роман Захара Прилепина.

Это — «Обитель».